Chère Lectrice,

Vous qui rêvez d'un monde merveilleux, vous qui souhaiteriez parfois vivre l'histoire d'une héroïne de roman, vous avez choisi un livre de la Série Romance.
Vous verrez, en lisant cette aventure passionnante, que la chance peut sourire à tout le monde – et à vous aussi.
Duo connaît bien l'amour. Avec la Série Romance, c'est l'enchantement qui vous attend.

**Un monde de rêve, un monde d'amour,
Romance, la série tendre,
six nouveautés par mois.**

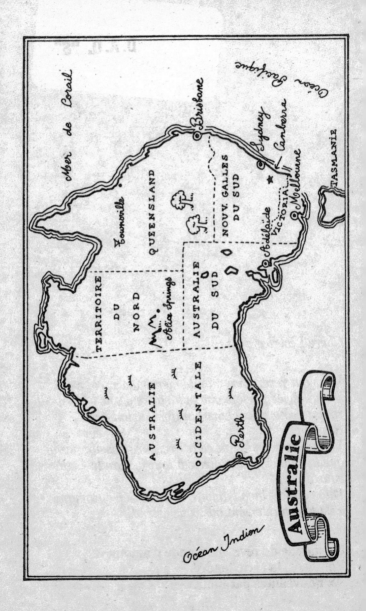

Série Romance

DOROTHY CORK

Le désert du bout du monde

Duo

Les livres que votre cœur attend

Titre original : *Chosen Wife* (304)
© 1984, Dorothy Cork
Originally published by Sɪʟʜᴏᴜᴇᴛᴛᴇ Bᴏᴏᴋs,
division of Harlequin Enterprises Ltd,
Toronto, Canada

Traduction française de : Frédérique Boos
© 1985, Éditions J'ai Lu
27, rue Cassette, 75006 Paris

Chapitre premier

Le Port aux Perles... Broome la romantique. Ils y étaient enfin arrivés !

A l'ombre mouvante des palmes de cocotier, Liza examina la carte de la région qu'elle venait d'acheter. Elle voulait tout voir... mais son excitation céda rapidement la place à la déception. Sans voiture, on ne pouvait pas visiter grand-chose. Gantheaume Point et ses empreintes de dinosaures figées dans la roche, les vingt kilomètres de sable blanc de Cable Beach, tout cela était bien trop éloigné pour s'y rendre à pied. De même que le cimetière où l'on enterrait autrefois les pêcheurs de perles japonais, marquant leur tombe d'une pierre selon le rite shintoïste... En réalité, ils repartiraient demain à la première heure et elle n'aurait rien vu du tout. Pas même la plus petite perle de culture !

D'un geste machinal, elle repoussa en arrière la masse sombre de ses cheveux. C'était horriblement frustrant d'être obligée de suivre le train d'enfer que menait Don ! Il n'avait qu'une idée en tête : gagner Darwin au plus vite. Résultat, ils traversaient sans jamais s'arrêter une des régions les plus intéressantes de l'Australie... On ne pouvait vraiment pas dire que Don avait du goût pour les voyages touristiques ! Depuis qu'il avait pris le volant, à Perth — direction le nord-ouest —, il avait foncé comme s'il avait le diable aux trousses. Sa sœur Laura et Liza avaient bien essayé de le relayer... En vain.

— Ne t'inquiète pas, Liza, je tiens parfaitement le coup ! Je peux rester vingt-quatre heures sans dormir, avait-il affirmé. Et plus s'il le faut ! D'ailleurs, les femmes ne savent pas conduire. Je ne leur fais aucune confiance...

Liza s'était retournée pour voir comment Laura réagissait au compliment... Mais la sœur de Don, étendue sur le siège arrière, les yeux fermés, n'avait pas bougé. Et Liza avait remâché son ressentiment toute seule, un peu troublée de découvrir Don sous un jour aussi nouveau. Elle qui avait cru bien le connaître...

Il aimait l'aventure et pour Liza Stevens, c'était une qualité. Grand, musclé, bien bâti, il avait tout de l'explorateur, du coureur de brousse. Sa barbe et sa tignasse cuivrées complétaient son allure de baroudeur. Tout le monde le trouvait sympathique. Sauf tante Esmée, qui ne se lassait pas de répéter qu'un homme qui changeait aussi souvent de métier — et il fallait voir lesquels il choisissait ! — n'était pas fait pour sa nièce... Evidemment, Don ne ressemblait pas beaucoup au mari idéal dont sa tante et son oncle Walter avaient rêvé pour Liza. Et qu'il soit champion de safari dans le désert à dos de chameau n'impressionnait pas tante Esmée. Pour elle, Don Harris était exactement l'opposé de l'homme à épouser.

Il faisait pourtant un grand pas vers une vie plus stable en rachetant cette compagnie de Darwin, qui organisait des safaris, le *Jabiru Safari Tours*... Mais là encore, Esmée et Walter ne l'avaient pas approuvé. Ils avaient trouvé l'entreprise hasardeuse et l'idée d'aller vivre à Darwin, carrément insensée.

Liza, elle, n'avait pas été de cet avis. Couvée par sa tante et son oncle, elle n'avait jamais voyagé. Cette fois, pour pouvoir partir avec Laura et Don, elle avait dû recourir aux larmes. A son âge — presque vingt ans —, ça devenait humiliant de devoir arracher la permission de faire le moindre mouvement... Elle avait promis d'être de retour dans trois semaines, à la fin des vacances de son amie Laura. Mais maintenant qu'elle avait enfin franchi le tropique du Capricorne, elle n'avait plus aucune envie de revoir Perth un jour.

Lorsque Don avait proposé aux deux jeunes filles de l'accompagner à Darwin, Liza avait accepté avec un enthousiasme mêlé d'un brin de provocation car elle savait qu'elle attirait Don. Elle avait pensé que ce serait l'occasion rêvée de faire le point sur ce qu'elle ressentait pour lui, sans personne derrière son dos pour l'influencer. Et les vacances de Laura avaient fourni un excellent prétexte. Tante Esmée n'avait pas été dupe, naturellement. Et d'autant moins qu'elle était persuadée que Don Harris cherchait à mettre la main sur la somme rondelette que Liza recevrait en héritage le jour de ses noces. Mais oncle Walter s'était montré plus crédule et Liza avait eu un peu honte de le tromper ainsi.

— Enfin, chérie, avait-il gentiment expliqué à Esmée, elle ne s'enfuit pas pour épouser secrètement Don Harris ! Elle part simplement en vacances avec Laura, et Don leur sert de chauffeur ! C'est tout...

Liza avait chassé sa honte en se disant qu'après

tout, Don ne l'avait jamais demandée en mariage. Pourtant, elle en connaissait la raison : il voulait d'abord s'assurer qu'elle serait capable de mener le genre de vie qu'il lui offrirait. Mais si elle avait accepté de travailler comme accompagnatrice pour le *Jabiru Safari Tours* qu'il allait racheter, c'était bien parce qu'elle avait su, dès le début, qu'elle adorerait cette vie.

Et voilà que maintenant, en arrivant à Broome, elle se rendait compte que son enthousiasme avait considérablement diminué... Ces quelques jours avec Don avaient beaucoup appris à Liza sur lui. D'abord, il avait ce préjugé idiot au sujet des femmes au volant. Et puis il décidait de tout sans consulter les deux jeunes filles et Liza n'aimait pas ça. Elle n'avait pas fui le cocon tissé autour d'elle par sa tante pour se retrouver sous la coupe de quelqu'un d'autre. En quittant Perth, elle avait cru s'élancer vers la liberté d'être enfin elle-même, l'exaltation d'une vie aventureuse — la seule qui la tentait. Elle voulait goûter à tout, échapper à la vigilance étouffante dont Esmée l'entourait depuis qu'elle était devenue sa tutrice, dix ans plus tôt, à la mort de ses parents.

Mais au fond, à cet instant, seule, au milieu de l'après-midi, à Broome, n'était-elle pas libre comme l'air... ? Si. Et elle ne savait que faire de cette liberté ! Il fallait qu'elle apprenne à s'en servir, sinon elle n'aurait plus qu'à retourner dans les jupes de sa tante. Une perspective franchement déprimante...

Bouge ! se dit-elle. Trouve quelque chose d'intéressant à faire !

Mais ce qu'elle aurait voulu, c'était une voiture... Comment s'y prendre pour en trouver une ? Elle se mit à marcher le long de la baie, guettant l'inspiration. La marée descendait rapidement, abandonnant la jetée derrière elle et rayant l'horizon d'un trait indigo. Sur la plage, d'immenses flaques d'un bleu très pâle, presque translucide, commençaient à disparaître, dévoilant le sable d'une extraordinaire couleur rose... Des enfants pataugeaient dans l'eau. Deux petits bateaux étaient échoués tout près. Peut-être ceux des pêcheurs de perles... Tout excitée à cette idée, Liza retrouva vite son découragement. Personne ne l'emmènerait à la pêche miraculeuse... A quoi bon rêver ?

Et Laura qui n'était pas là... Elle était tombée malade, attaquée par un virus local qui avait entraîné cette somnolence de la veille. Don l'avait installée à Port Hedland, chez des amis. Il avait toujours une solution à tout, des amis partout et aucune envie d'attendre que sa sœur soit rétablie. Liza avait voulu rester mais Laura l'avait suppliée de n'en rien faire :

— Je ne me pardonnerais jamais d'avoir gâché ton voyage, Liza. Continue avec Don et ne t'inquiète pas. On s'occupera bien de moi, ici, avait-elle déclaré, les larmes aux yeux.

Liza et Don étaient donc repartis à l'aube et bien sûr, ils avaient couvert d'une traite les quelque six cents kilomètres qui les séparaient de Broome...

Elle se dirigea vers l'hôtel. Elle allait téléphoner à Port Hedland pour prendre des nouvelles de Laura — enfin une idée constructive ! — puis elle irait retrouver Don. Mais il était peu probable qu'il l'emmène faire un tour. En sortant leurs valises du coffre, il ne lui avait pas caché ses intentions :

— Et ne me demande pas de visiter la région ! On va prendre une douche et s'offrir un verre. Je ne

vais pas repartir après toute une journée de route...
D'ailleurs, j'ai déjà vu tout ce qu'il y a d'intéressant
dans ce coin... Ce qu'il me faut, c'est un bon fauteuil
et ensuite, un bon lit !

Qu'était devenue la légendaire énergie de Don ? Il
connaissait peut-être la région par cœur, mais pas
elle !

Heureusement, le chemin qui menait à l'hôtel
était un vrai plaisir pour les yeux. Les palmiers y
voisinaient avec les baobabs aux troncs si curieux
en forme de bouteilles et les frangipaniers parfu-
maient l'air de leur senteur entêtante.

A l'hôtel, elle téléphona à Port Hedland où on lui
apprit que Laura allait vraiment mal. Elle avait
déliré une bonne partie de la nuit. On comptait sur
les antibiotiques pour qu'elle se rétablisse rapidement et elle les rejoindrait sans doute à Darwin
comme prévu.

Pas très rassurée par ces nouvelles, Liza se mit à
la recherche de Don pour le mettre au courant.
Seigneur ! pensa-t-elle. Si Walter et Esmée savaient
que je suis seule avec lui pour plusieurs jours, ils
seraient terriblement inquiets... Mais qui aurait pu
le leur dire ? D'ailleurs, elle ne faisait rien de mal...

A vrai dire, il ne s'était pas passé grand-chose
entre Liza et Don, à part quelques petits baisers. Il
se conduisait plutôt en frère aîné avec elle, et cette
attitude aussi la décevait. Elle l'avait, en effet,
imaginé plus passionné...

Pas de Don au bar. Au salon non plus. Tant pis,
elle le verrait plus tard. Elle avait soudain envie
d'aller à la piscine. Rien de plus agréable qu'un
plongeon dans l'eau fraîche en fin d'après-midi,
quand il a fait chaud.

Le parc qui entourait l'hôtel avait la luxuriance

des jardins tropicaux : les balisiers et les bananiers rivalisaient d'exotisme avec les grands palmiers d'ornement aux larges feuilles déployées en éventail. Une vigne grimpante s'enroulait sur une treille, lançant vers les promeneurs ses jolies corolles mouchetées. Liza ramassa une fleur de frangipanier tombée à terre et tandis qu'elle la respirait longuement, son regard se posa sur un groupe attablé à l'ombre, un peu plus loin. Don avait encore rencontré des amis ! Il bavardait avec une jeune femme aux cheveux courts et bouclés dont le visage était presque entièrement caché par d'énormes lunettes de soleil. Il y avait aussi un homme très brun, mais Liza ne pouvait voir que son large dos musclé. Elle s'approcha, curieusement soulagée de ne pas se retrouver seule avec Don.

— Ah ! te voilà... fit-il en lui avançant une chaise. Je commençais à croire que tu avais filé avec un pêcheur de perles !

L'homme aux cheveux noirs se leva et se tournant vers la nouvelle venue, détailla rapidement sa silhouette gracile. Liza remarqua qu'il portait un pantalon immaculé et une chemise sombre à manches courtes, que son visage était bronzé et que son regard... Elle retint son souffle, brusquement fascinée par ces yeux bleu-vert. Et consciente de ce qu'ils lui disaient clairement : qu'elle était femme et désirable...

Embarrassée, choquée même, par l'effronterie de cette déclaration muette, elle s'assit. Elle était écarlate.

— Liza, commença Don, je te présente Debra Davis, une de mes amies de Darwin. Et voici Ryan Langton.

Liza les salua d'une petite voix tremblante qui semblait ne pas lui appartenir. Elle sourit à Debra tout en essayant désespérément de retrouver ses esprits. Mais une seconde plus tard, ses yeux revenaient tout seuls à Ryan Langton. Il la fixait. Liza ne pouvait pas combattre l'attraction presque magnétique que les pupilles brillantes de cet homme exerçaient sur elle. Une force inconnue, née au plus secret de son corps et aussi implacable qu'une lame de fond, la poussait vers lui. Et subitement, elle eut le sentiment d'être en danger.

— Que voulez-vous boire, Liza ?

Il avait une voix grave, aimable, avec ces inflexions un peu traînantes fréquentes chez les Australiens. Mais son sourire mettait Liza terriblement mal à l'aise. Ryan Langton semblait très sûr de lui et de l'effet qu'il lui faisait... Les lèvres sèches, elle n'eut pas le temps de répondre.

— Elle prend du jus d'orange, précisa Don. N'est-ce pas, Liza ?

Elle fit oui de la tête et Debra éclata de rire :

— C'est vraiment votre boisson préférée ? Où est-ce tout ce que Don vous permet ? Quel macho !

Liza assura qu'avec cette chaleur, elle préférait ne pas prendre d'alcool. Don... un macho ? Quelle drôle d'idée... Mais Debra affichait l'air supérieur de celles qui savent juger les hommes et c'était son sourire qui, à présent, ne plaisait plus trop à Liza. Finalement, elle ressemblait à ce Langton. Ils devaient être ensemble. Debra ne portait pas d'alliance mais ça ne voulait rien dire... Mince, pleine d'aisance, elle arborait un bronzage parfait, mis en valeur par la couleur crème d'une blouse à col mao. Le pantalon camel, très à la mode, était à la fois élégant et pratique. Un peu honteuse de sa tenue,

Liza rejeta en arrière la masse brillante de ses cheveux, qui n'avait pas vu le peigne depuis son arrivée à Broome... Elle ne s'était même pas changée! Avec son chemisier rose et son short vert pâle, elle devait avoir piètre allure, comparée à Debra. A côté d'elle, Liza avait tout simplement l'air d'une gamine, rouge et ébouriffée parce qu'elle a trop sauté à la corde. Et qu'un homme comme Ryan Langton lui ait seulement accordé un coup d'œil était très étonnant...

Quand Ryan se leva pour aller chercher le jus d'orange, Liza poussa un soupir, comme si son absence momentanée lui accordait une sorte de répit.

— Tu as visité la ville, Liza ?

Elle sursauta légèrement. Elle en avait oublié Don !

— Pas vraiment, répondit-elle, maussade. Je n'avais pas envie de me balader toute seule.

Pour la première fois depuis qu'elle connaissait Don, bavarder avec lui l'ennuyait. C'était étrange... Peut-être la chaleur ? Ou l'ambiance paresseuse du jardin ? Elle avait l'impression d'être sous l'influence d'une drogue — ou d'un... aphrodisiaque, se dit-elle brusquement. Un aphrodisiaque ? Mais elle n'avait aucune idée de l'effet que ça produisait ! Pourquoi ce mot lui était-il venu à l'esprit ?

— J'ai téléphoné pour prendre des nouvelles de Laura, ajouta-t-elle rapidement en essayant de cacher son trouble.

— Je me demande si ce n'est pas une maladie diplomatique, fit Don en souriant. Elle en a déjà assez, elle se dégonfle !

Debra éclata d'un rire cynique.

— Pauvre petite sœur ! C'est normal... Les filles

du Sud sont fragiles, surtout celles qui vivent en ville, comme vous...

Elle jeta un coup d'œil éloquent au chemisier de Liza. Est-ce que s'habiller en rose était un symptôme évident de faiblesse ? Depuis quand ? Mais qu'est-ce qui leur prenait, à la fin ? Laura était vraiment malade et Liza n'avait rien d'une poupée de porcelaine ! C'était elle et de son plein gré qui avait décidé de venir dans l'*outback*, ces terres sauvages de l'Australie ! Elle allait protester, mais Ryan revenait et posait devant elle un grand verre de jus d'orange glacé. Elle murmura un « merci » inaudible sans oser lever les yeux. Pourquoi avait-elle oublié de prendre son miroir de poche ? Elle aurait pu s'arranger un peu... Mais Debra n'allait pas s'en tirer comme ça :

— Je ne savais pas que les filles des villes étaient si différentes des autres, déclara-t-elle. Mais vous venez de Darwin, je crois ? Ça n'est pas vraiment la brousse...

— Oh ! ça n'a rien à voir avec les villes du Sud ! Darwin est à la frontière de l'*outback*. Les habitants ont dû lutter pied à pied pour s'en sortir après le passage du cyclone Tracy qui a tout dévasté en 1974. La maison de mes parents a été rasée et ils sont partis vers le Sud. Ils n'en pouvaient plus du Nord-Ouest. Moi, je suis revenue. Cette région... on l'adore ou on la déteste, elle ne laisse personne indifférent. Mais vous allez découvrir tout cela par vous-même... si vous supportez le climat assez longtemps !

Je resterai ! se promit Liza, hérissée par les sous-entendus de Debra qui semblait convaincue que venir de Perth constituait un handicap insurmontable. En tout cas, elle ne perdait pas une occasion de

14

traiter Liza comme une étrangère encombrante. Eh bien ! Liza se passerait de son approbation !

— Vous êtes déjà allée à Darwin ? intervint Ryan.

Immédiatement, Liza rougit. Il la regardait bien en face et elle se sentit vaguement coupable, sans savoir de quoi.

— Jamais ! Mais il y a une première fois à tout ! répliqua-t-elle avec un enjouement un peu forcé. Vous habitez là-bas ?

— Non, je suis du district de Kimberley... Don vient de nous apprendre qu'il reprenait le *Jabiru Safari Tours* et que vous alliez travailler pour lui, comme accompagnatrice dans les safaris ?

Pourquoi la regardait-il de cet air un peu moqueur ? Elle se sentit blessée.

— Oui, une petite affaire qui se porte bien, commentait Don en caressant sa barbe cuivrée. Vous avez entendu parler de Len Carson ? Debra connaît bien sa femme. Ils travaillaient tous deux pour le *Jabiru Safari* mais Caryl est enceinte et elle va avoir du mal à continuer. Ils vont s'installer sur un bout de terrain près de l'Ord River...

Don continuait en développant ses projets d'avenir mais Liza ne l'écoutait plus. A travers ses longs cils noirs, elle observait l'homme qui se trouvait à ses côtés, réprimant une envie subite de toucher ses cuisses qu'elle devinait dures et musclées sous la fine toile du pantalon. Quelle folie ! Qu'auraient pensé Don et surtout... le principal intéressé... ?

A cet instant précis, Ryan lui effleura un sein, en un geste rapide de la main.

— Excusez-moi, fit-il d'un ton parfaitement naturel. Il y avait une petite araignée sur votre chemisier...

Liza avait viré au cramoisi. Fallait-il le croire ? Tout à leur conversation, les autres ne s'étaient aperçus de rien. Heureusement... Ils parlaient d'un barrage sur l'Ord, qui selon certains, avait coûté de fabuleuses sommes d'argent pour un résultat très décevant. Pour Don et Debra, le barrage avait un grand avenir.

— J'ai fait un article là-dessus, expliquait la jeune femme. Je sais de quoi je parle... Mais tu ne dis rien, Ryan ? Je ne peux croire que tu n'as pas d'avis sur la question...

— J'en ai un, en effet... répliqua-t-il assez froidement en se levant. Mais l'heure du dîner approche... Je vais prendre une douche. Tu viens, Debra ?

L'intimité que laissaient supposer ces derniers mots troubla Liza plus que tout le reste depuis son arrivée à cette table. C'était absurde. Après tout, Ryan et Debra étaient adultes et capables d'assumer une relation hors mariage sans se poser de questions là-dessus. Rien à voir avec ce qui se passait entre elle et Don...

— On se retrouve pour dîner ? proposa Debra.

Don accepta immédiatement et Liza le regretta. Elle ne tenait vraiment pas à passer encore des heures avec eux.

A cet instant, le ciel fut assombri par des nuages d'un gris orangé. La lumière qui cuivrait tout — l'herbe, les palmiers, le visage de Don — créa soudain une atmosphère romantique. Un rien dramatique, même. Mais Don ne voyait rien. Il vantait les talents de Debra :

— Elle est journaliste à Darwin... Une fille très compétente ! Nous nous sommes rencontrés au *Jabiru Safari*. Elle travaillait à un article sur les safaris et moi, je venais voir si l'affaire m'intéressait et si tu pouvais convenir pour remplacer Caryl.

— Et tu crois que je...

— Nous verrons ça bientôt.

Evidemment, elle conviendrait ! Tout de même, la réponse de Don était un peu vexante... A défaut de la bénédiction de Debra, Liza aurait au moins aimé avoir le soutien de Don.

— Et lui, Ryan... Tu l'as rencontré quand ?

— Ce soir ! Mais je le connaissais de nom, bien sûr. Les Langton sont une grande famille d'éleveurs. Ryan possède un gigantesque ranch... Crystal Downs.

— Oh !...

Liza se força mentalement à compter jusqu'à trois avant de demander :

— Et... pourquoi est-il ici ?

— Ça me paraît tellement évident que je n'ai pas posé la question, répliqua-t-il en levant un sourcil amusé. Debra est une chouette fille... Elle n'aurait pas de mal à s'adapter à la vie d'un ranch.

Toujours la même chanson ! Seule une vraie fille de Darwin pouvait avoir l'esprit pionnier ! Ah ! ça n'était pas comme celles qui portaient des chemisiers roses...

— Tu veux dire qu'ils sont fiancés ?

— C'est dans l'air. Il a été marié une première fois, je crois... Mais ça t'intéresse ?

— Simple curiosité.

Elle reprit son verre d'une main qui tremblait un peu et le vida d'un trait. Il lui suffisait de penser à Ryan pour que son cœur batte plus vite et pourtant, il ne lui était pas follement sympathique. Il l'intriguait, même si elle ne devait plus jamais le revoir après ce soir... Mieux valait changer de sujet avant que Don ne décèle l'intérêt qu'elle lui portait.

— La santé de Laura ne t'inquiète pas? demanda-t-elle.

— Ne t'en fais pas pour elle! J'étais sûr qu'elle abandonnerait en cours de route.

— Mais elle a déliré une bonne partie de la nuit!

Il haussa les épaules.

— Ça m'étonnerait... Il faut que tu saches qu'elle n'a consenti à ce voyage que pour t'aider à obtenir la permission de ta famille. Tu n'aurais jamais osé partir seule avec moi, si?

Liza se leva brusquement.

— A ton avis? Je vais me changer. A tout à l'heure!

Elle le planta là, ne pouvant croire que son amie ait pu monter toute cette comédie. Liza aurait juré qu'elle était fiévreuse quand ils l'avaient laissée à Port Hedland. D'ailleurs, elle avait trouvé Don bien rouge, ce soir... Ce devait être à cause de la chaleur et de la fatigue.

Elle mit une robe parme gansée de dentelles au col et aux manches. Cette couleur allait bien à ses cheveux noirs et au velours sombre de ses yeux. Et c'était une toilette qui lui donnait une allure très féminine. Elle se sentait bien ainsi et tant pis si pour Debra, féminité était synonyme de faiblesse!

Elle les retrouva au restaurant. Debra n'avait pas pris la peine de se changer mais Ryan avait troqué sa tenue sport contre un pantalon noir et une chemise bleu pâle. Avant tout, Liza remarqua la toison sombre de sa poitrine que laissait voir le col ouvert. Il dégageait une telle impression de virilité qu'elle eut du mal à détacher ses yeux des siens.

— Oh! qu'elle est mignonne! s'exclama Debra avec un sourire condescendant.

Ce furent à peu près les seules paroles qu'elle lui adressa pendant cette soirée qui parut interminable à Liza. Don semblait soudain frappé de mutisme et Ryan ne s'occupait que de la jeune journaliste de Darwin. Apparemment, ils mouraient d'envie de se retrouver seuls... La conversation roula sur une vente aux enchères de perles qui s'était tenue dans l'après-midi. Debra préparait un article pour lequel elle comptait interviewer des marchands et de vieux pêcheurs de perles du quartier chinois.

Une fois de plus, Liza se sentait l'étrangère... Mais qu'aurait-elle pu dire, alors qu'elle ne connaissait rien à l'industrie de la perle ? Si Ryan ne lui accordait pas un seul regard, elle était sûre que chaque fois qu'elle posait les yeux sur lui, il s'en rendait compte. Au pli dur de sa bouche, elle devina qu'il était irrité. Ou impatient. Quoi qu'il en soit, ce fut avec soulagement qu'elle vit Don terminer son café et se lever.

— Allons nous coucher, fit-il. Demain, nous partons à sept heures !

Liza dit bonsoir très discrètement, résignée à ce que personne ne s'intéresse à elle. Mais à sa grande surprise, Ryan se mit debout et lui tendit la main en souriant. Son regard se fit alors plus perçant et comme cet après-midi, elle comprit qu'il la trouvait désirable. Elle lui lâcha la main comme si ç'avait été des braises. Son cœur battait à tout rompre. Déjà, Don la prenait par la taille et l'entraînait, mais ses jambes la portaient à peine.

Il la tint serrée contre lui jusqu'à la porte de sa chambre. C'était la première fois qu'il agissait ainsi

19

et elle se sentait un peu nerveuse. Depuis leur départ de Perth, elle ne s'était encore jamais retrouvée seule avec lui, ayant partagé la même chambre que Laura. Elle ouvrit la porte, alluma la lampe de chevet... Don l'avait suivie.

— Ça a l'air confortable, murmura-t-il.

Voulait-il parler du luxueux lit pour deux ? Liza rougit. Entre Debra et Ryan, les choses devaient se dérouler bien différemment... La fille de l'*outback* devait être tout à fait à l'aise. Tandis que seule avec Don dans cette chambre, Liza avait l'impression d'être soudain toute petite, fragile... Elle voyait leurs deux silhouettes dans la grande glace. La barbe de Don prenait une couleur cuivrée dans la lumière tamisée. Il l'attira contre lui. Dans le miroir, leurs images se confondirent.

— Bonne nuit, Liz...

Brusquement, il l'embrassa. Un long baiser, comme il ne lui en avait jamais donné. Il plaquait fermement contre lui le corps de Liza qui, les yeux fermés, attendait l'étincelle qui devait l'enflammer... Pas d'étincelle. Ni de frisson, ni de révélation. Rien qu'une déception mordante... C'était certainement à cause de la fatigue. Don l'embrassa avec davantage de fougue encore et soudain, elle n'eut plus qu'un désir : que cela cesse. Mon Dieu ! Et s'il lui proposait de passer la nuit avec elle ? Non, elle n'était pas prête, pas encore.

Cependant, elle n'eut rien à lui refuser. Il la libéra en disant tout bas :

— Nous ferions mieux d'aller dormir. Je suis mort de fatigue et tu ne dois pas être dans un état beaucoup plus brillant... Tu n'auras pas de problème toute seule ?

Non! Oh non! Elle se débrouillerait parfaitement. Il lui caressa le bras.

— Dors bien. Je passerai un coup de fil pour te réveiller.

Encore un petit baiser. Il était parti. Liza reprit son souffle. L'étreinte de Don ne l'avait pas du tout émue et il n'avait pas paru gêné par sa réticence. L'avait-il même remarquée ? Il était capable d'être tendre et attentionné mais pas passionné. A moins que son détachement ne soit dû à l'épuisement ? En tout cas, Esmée avait eu tort de se faire tant de souci. Don Harris n'était pas bien dangereux, il ne risquait pas de faire perdre la tête à Liza...

Tout en réfléchissant, elle sentait sa fatigue s'envoler. Elle n'avait aucune envie de dormir. A cette heure-ci, Ryan devait être couché avec Debra et parler fiançailles... ou ne rien dire du tout. Lui était un homme passionné. Comment pouvait-elle le savoir puisqu'elle le connaissait à peine ? Elle en avait la certitude, voilà tout. Peut-être à cause de cette lueur surprise dans ses yeux bleu-vert...

Un instant plus tard, elle marchait dans le jardin. L'air était lourd de parfums. La lune se cachait et le ciel recouvrait la terre d'un immense manteau de velours noir, piqueté de paillettes si brillantes qu'on les aurait crues à portée de la main. Décrocher les étoiles... Liza tendit le bras. Le monde demeurait magique, n'en déplaise à la science.

Chapitre deux

— Vous essayez d'attraper une étoile ou vous prenez la pose ?

Cette voix profonde, veloutée... c'était celle de Ryan Langton. Liza frissonna. Pourtant, elle n'était pas surprise. C'était étrange, mais sa présence semblait naturelle. L'extrémité d'une cigarette rougeoya dans le noir.

— Ni l'un ni l'autre. Je n'arrivais pas à dormir.

Voilà qui ressemblait un peu trop à un aveu... Elle s'en voulut.

— Dormir ? Ne me dites pas que vous allez au lit dans ce luxueux frou-frou de soie mauve ! fit-il d'un ton moqueur.

Il éteignit sa cigarette et s'approcha d'elle sans bruit.

— Evidemment non. Mais je n'ai pas non plus l'habitude de me promener la nuit dans des jardins inconnus, en pyjama ! répliqua-t-elle, un peu agacée.

Il était si près d'elle qu'au moindre mouvement elle aurait pu le toucher... Elle sentit la chaleur que dégageait son corps et troublée, respira un parfum subtil d'eau de Cologne.

— De toute façon, je vous croyais en pleine discussion sur l'industrie perlière ! ajouta-t-elle.

22

— De toute façon... ?

Liza se mordit les lèvres. Décidément, c'était la soirée des impairs... Elle venait de lui laisser clairement entendre qu'elle espérait le rencontrer.

— Debra avait rendez-vous avec un marchand de perles, précisa Ryan. Je n'avais aucune raison de m'immiscer...

— Si vous vous lancez dans ce genre de conversation, vous parlerez tout seul ! Je ne connais strictement rien aux perles. D'ailleurs, vous avez pu vous en apercevoir, tout à l'heure.

— Je ne suis pas venu ici pour vous parler de perles. Où est votre petit ami ? fit-il tout à trac.

— Mais... Il s'est couché.

— Sans vous attendre ?

— Non...

Est-ce qu'il supposait que... ?

— Et je présume que vous savez pourquoi, reprenait-il.

Elle faillit lui répondre : parce qu'il n'a rien de passionné, voilà pourquoi ! Mais elle se contenta d'une réponse glaciale.

— Je ne vois pas ce que vous voulez dire.

Oh ! pourquoi était-il aussi proche ? Ses cheveux sombres luisaient doucement sous les étoiles et elle eut soudain l'envie folle de les caresser. Il était viril, séduisant... troublant. Et beaucoup trop près d'elle.

— Eh bien ! je vais vous dire pourquoi, moi. Il couve une maladie. Sa sœur a bien été atteinte par un virus, n'est-ce pas ?

— C'est exact, mais Don va très bien.

— Très bien ? N'avez-vous pas remarqué ses yeux fiévreux ? Et cette façon qu'il avait de se tenir raide pendant tout le dîner ? Si vous avez deux sous de bon sens, vous garderez vos distances. Mais j'arrive sans doute trop tard. Le mal est déjà fait...

Le double sens de cette remarque la fit rougir jusqu'à la racine des cheveux.

— Je me passe fort bien de ce genre de conseil, monsieur Langton ! Je ne sais pas quelle opinion vous avez de moi mais...

— Mon opinion n'a rien à voir avec tout ça. Je me place sur un plan pratique, mademoiselle Stevens. Se laisser embrasser n'est pas un crime. Et il me paraît évident que c'est ce qui vient de vous arriver... Je pense simplement qu'il serait raisonnable de vous abstenir quelque temps. Les fièvres ne sont pas les meilleures compagnes de voyage, croyez-moi. Vous partagez sa chambre ?

Liza manqua s'étrangler.

— Nous ne dormons pas ensemble ! s'exclamat-elle, avec véhémence.

— J'en suis heureux.

Tout en parlant, il avait pris son poignet et elle sentit tout son corps s'enflammer. Que faisait-il ? Voulait-il simplement lui prendre le pouls ou bien... ?

— Avalez une aspirine et couchez-vous. N'oubliez pas que vous vous levez tôt demain.

— Si Don est aussi malade que vous le dites, nous ne pourrons pas partir ?

La pression des doigts sur son poignet l'affolait. Et soudain, elle comprit la cause de l'insatisfaction qui la rongeait depuis tout à l'heure... Etait-il possible qu'elle, Liza Stevens, veuille cela ?

— Je suis certain que vous partirez, répliqua Ryan.

Sa voix, sa main se firent plus caressantes.

— En tout cas, si j'étais Don, je partirais pour Darwin à l'aube.

— Et... pourquoi ?

— Devinez...

Il l'attira brutalement contre lui, écrasant ses seins contre sa poitrine, plaquant ses cuisses aux siennes.

— Pourquoi êtes-vous venue dans ce jardin, Liza ? murmura-t-il.

Elle ne le savait que trop à présent. Mais elle n'en avait pas eu conscience lorsqu'elle était descendue. Sinon, aurait-elle jamais osé sortir de sa chambre ?

— Sûrement pas pour vous voir, si c'est ce que vous croyez.

— C'est exactement ce que je crois. Et vous mentez, Liza... Vous espériez me rencontrer, n'est-ce pas ? Vos yeux de braise m'ont provoqué toute la soirée ! Je brûlais d'envie de vous tenir dans mes bras et vous le saviez...

Tout tournait autour d'elle.

— Je ne comprends pas de quoi vous parlez... balbutia-t-elle. J'ai peut-être la fièvre, moi aussi...

— Alors, nous sommes deux.

Et soudain, il lui prit la bouche de ses lèvres avides, exigeantes. Son corps viril était si serré contre le sien qu'il semblait à Liza qu'ils étaient tous deux nus. Et le sang battait à ses tempes. Ils étaient possédés du même feu, que rien ne pourrait éteindre... Elle répondit à ses baisers avec une ardeur insoupçonnée, enlaçant frénétiquement son cou musclé, ondulant contre son corps, non pour se dégager mais pour se mouler encore plus étroitement à lui. Elle sentit grandir son désir et instinctivement, chercha sa peau sous la chemise, la caressant du bout des doigts en gémissant.

— Non... non, Liza Stevens... souffla-t-il.

Èt lui prenant la main, il l'écarta violemment. Elle crut qu'elle allait défaillir.

— Pourquoi... ?

Elle aurait voulu poser la tête contre sa poitrine et puis qu'il l'embrasse et puis... tout ! Elle qui s'était crue froide, elle était folle de désir.

— Non, fit-il comme si elle avait parlé à voix haute. Vous allez faire exactement ce que je vous ai dit. Avaler une aspirine et vous mettre au lit. Il faut que j'aille chercher Debra, elle doit avoir fini.

Debra. Bien sûr. A ce nom, Liza eut l'impression de recevoir une douche glacée et elle eut honte de sa conduite. Que lui était-il arrivé ? Elle se ressaisit, atterrée. Elle avait perdu la tête pour le premier homme rencontré hors du nid familial... Evidemment, Ryan Langton correspondait parfaitement à l'idéal de tante Esmée... Mais quelle idée stupide, puisqu'elle ne le lui présenterait jamais !

Ils se dirigèrent vers l'hôtel et machinalement, elle lui prit le bras. Aussitôt Ryan se raidit et Liza fut parcourue d'un frisson d'excitation qui l'effraya. Comment cet homme pouvait-il déclencher en elle des réactions aussi volcaniques ?

Il ne la raccompagna pas jusqu'à sa chambre et c'était sûrement aussi bien, se dit-elle. S'il était entré, même pour une minute, il ne lui aurait certainement pas dit bonsoir aussi tranquillement que Don...

Liza avala rapidement une aspirine et se coucha. Elle ne pouvait s'empêcher de trembler. Tout son corps frémissait des désirs qui venaient de lui être révélés. Tout ce qu'elle attendait de Don, un autre l'avait éveillé en elle. Etait-ce parce qu'elle avait été déçue par Don ? Pour compenser ce qu'il n'avait pas su lui donner ? Oui, ce devait être ça. D'autant que Ryan Langton n'était vraiment pas son type. Beaucoup trop adulte, trop viril pour elle. Heureusement qu'elle repartait demain. A moins que Don ne soit trop malade pour pouvoir conduire...

Ryan Langton, propriétaire du ranch de Crystal Downs, environ trente ans, marié une première fois... Et pour qui le moment était venu de fonder un foyer. C'était ce que disait Don. Mais ses renseignements étaient-ils sûrs ? Elle aurait dû interroger directement le principal intéressé. Et puis, non. Tout cela ne la regardait pas. Et en savoir davantage sur lui ne l'aurait pas délivrée de ce désir presque douloureux qui l'agitait et lui faisait un peu honte. Elle tenta de se persuader que demain elle en rirait. Mais la nuit était longue...

Elle dormit très peu et fut réveillée, à l'aube, par la sonnerie du téléphone. Don... Elle sauta du lit. Ryan avait dû se tromper car, à en croire sa voix, Don semblait en excellente santé. Liza chassa Ryan de son esprit. Les souvenirs de la veille étaient encore trop vivaces pour qu'elle puisse penser à lui sereinement. Elle s'habilla très vite, boucla sa valise et rejoignit son compagnon de voyage à la table du petit déjeuner. Il leva à peine la tête, occupé à engloutir un énorme toast couronné de marmelade.

— En forme ?

— Oui... et toi ?

— Formidable ! J'avais vraiment besoin d'une bonne nuit de repos. Pendant que tu déjeunes, je vais charger la voiture !

Liza but son café sans se presser, espérant voir Ryan Langton une dernière fois. Surveillant la porte du coin de l'œil, elle attendit aussi longtemps qu'elle le put — en vain. Elle finit par se lever. Don devait l'attendre.

Il faisait encore frais dehors. Elle frissonna dans son léger chemisier. Un instant plus tard, elle était installée à côté de Don dans la voiture. Ils quittaient Broome.

La veille encore, cette région n'évoquait pour elle que l'exotisme des tropiques. Elle oubliait les cyclones qui la ravageaient et les problèmes de l'industrie des boutons de nacre, fabriqués à partir des coquilles d'huîtres perlières et supplantés peu à peu par les boutons en plastique... Aujourd'hui, ses élans romantiques passés lui paraissaient bien ridicules. Tout aussi stupides que la passion qui l'avait poussée dans les bras de ce Langton, hier soir. Elle ne se rappellerait sûrement pas grand-chose de Broome, sinon qu'elle y avait rencontré l'homme le plus viril qu'on puisse imaginer et qu'il lui avait appris sur elle-même des choses qu'elle ferait mieux d'ignorer...

Absorbé par la conduite, Don ne desserrait pas les dents. Liza perdit rapidement toute idée de l'endroit où ils se trouvaient. Il y avait bien une carte mais Don ne suivait pas les grandes routes et le chemin était si accidenté et poussiéreux qu'elle était enchantée qu'il se méfie des femmes au volant...

Ils déjeunèrent au bord d'un bras d'eau, à l'ombre des cajeputs dont le feuillage retombait devant eux comme un rideau. De minuscules oiseaux multicolores passaient comme des flèches, happant des insectes au passage. Liza sortit les sandwiches qu'ils avaient emportés et en tendit un à Don. Aussitôt, il lui fit une remarque désagréable sur ce pique-nique qu'elle n'avait pas préparé. Comme elle lui jetait un coup d'œil inquiet, elle remarqua son teint rouge et ses yeux trop brillants. Fiévreux... avait dit Ryan.

— Tu es sûr que tout va bien, Don ? J'espère que tu n'as pas attrapé le virus de Laura...

— Quel virus ? Je t'ai dit qu'elle jouait la comédie ! Je vais très bien. D'ailleurs, je ne suis jamais malade.

Liza mordit dans un sandwich. Dans ces conditions, inutile de discuter.

— Nous dormirons à Kununurra, ce soir ?

— Sûrement pas ! Mais enfin, Liza, si tu réfléchissais un peu, hein ? On ne roule pas aussi vite dans une région désertique que sur une autoroute ! Ce soir, nous nous arrêterons dans un ranch, chez des amis à moi.

— Un ranch ? Quelle chance ! Ça doit être merveilleux de vivre dans un ranch !

— A peu près autant que de se faire prendre dans une toile d'araignée pour une mouche. Je suis sûr qu'après deux jours de cette vie, tu n'aurais plus qu'une idée : filer au plus vite ! Darwin te plaira beaucoup plus. Pas la peine de te faire du cinéma, les ranchs, ça n'est pas pour les filles comme toi.

Ils terminèrent leur repas par deux grandes tasses de thé gardé chaud dans la Thermos. Liza pensa au ranch des Langton, mais elle ne posa pas de question. Elle avait manifesté suffisamment de curiosité au sujet de Ryan et Don pourrait faire des histoires si jamais il se doutait de l'intérêt qu'elle lui portait. D'ailleurs, elle voulait chasser de ses pensées l'énigmatique M. Langton. Lui l'avait déjà oubliée, c'était sûr.

Ils reprirent leur course folle... La route devenait de plus en plus difficile, longeant une chaîne de collines au sommet aplati. Autour d'eux, tout n'était que broussailles et épineux avec quelques arbres parmi lesquels Liza reconnaissait ici et là, les feuilles brillantes d'un acacia ou le rouge flamboyant d'un grévilléa.

Puis les collines disparurent. Ils passèrent devant une pièce d'eau et un moulin d'où partait une route... qui menait où ? Il n'y avait pas de panneau indicateur. Comment pouvait-on trouver son chemin dans un pays pareil ?

Elle allait demander à Don où ils étaient quand subitement, la voiture fit un tête-à-queue, quitta la route et fila droit vers un énorme baobab... Liza se jeta sur le volant et redressa juste à temps. Don s'était assoupi quelques secondes ! Réveillé par la secousse, il ouvrit des yeux injectés de sang et arrêta le moteur.

— Oh ! Don ! Nous aurions dû rester à Broome si tu ne te sentais pas bien !

Il lui ordonna brutalement de se taire, furieux que pareille chose ait pu lui arriver, à lui, le baroudeur. La fatigue le rendait incroyablement susceptible...

— Désolée, fit-elle. C'est difficile de conduire par ici, je sais... Où sommes-nous maintenant ?

Il lui montra leur position sur la carte, au millimètre près, comme s'il cherchait à lui prouver qu'il contrôlait parfaitement la situation. Mais Liza remarqua que ses mains tremblaient tandis que son visage était toujours très rouge et moite. Elle commençait à s'inquiéter sérieusement.

— Tu vois ! s'exclama Don. Je ferais le chemin les yeux fermés ! N'aie pas peur !

Ils repartirent aussitôt. Liza, très tendue, surveillait les réflexes de son compagnon. Au bout d'un moment, elle le sentit de nouveau très fatigué. Il fallait agir où ils couraient tout droit à l'accident.

— Laisse-moi conduire, Don. S'il te plaît... Je t'ai regardé faire, je sais où sont les commandes. Et j'ai eu mon permis avec mention! ajouta-t-elle pour détendre l'atmosphère.

— D'accord, déclara-t-il à contrecœur. J'ai besoin de dormir un peu et nous n'avons pas le temps de nous arrêter.

Il déploya la carte et traça le chemin du doigt, s'arrêtant toutes les dix secondes pour s'assurer que Liza suivait bien ses indications. Ce qu'elle faisait, penchée sur la carte, quand un nom attira son regard : Crystal Downs! Elle tressaillit. Ainsi, le ranch des Langton n'était pas très loin...

— A ce moment-là, tu croises un chemin, poursuivait Don. Tu le dépasses et tu prends le suivant. Ne t'inquiète pas si tu as l'impression qu'il ne mène nulle part. Tu continues jusqu'au gros baobab. Tu ne peux pas le manquer, il a un tronc double. Et là, tu tournes. Ça ne ressemble vraiment pas à un chemin mais tu verras une pancarte qui indique la direction du ranch. Compris? Ne manque surtout pas le premier tournant... Dieu sait où nous nous retrouverions!

Liza promit d'ouvrir l'œil, mais Don ne paraissait pas convaincu.

— De toute façon, réveille-moi dans une demi-heure, dit-il encore. Je suis certain que j'irai mieux.

Il s'endormit presque aussitôt, à côté d'elle qui avait pris sa place.

Elle comprit très vite comment conduire cette grosse voiture et cela lui plut. Elle eut le sentiment de parvenir enfin à son but : vivre l'aventure, voir de quoi elle était capable... Elle n'avait quitté Perth que pour ça. Pour découvrir la véritable Liza Stevens, celle dont la mère avait à vingt ans abandonné famille et amis pour parcourir l'Australie en camionnette. Son voyage avait pris fin à Kalgoorlie, dans le Sud-Ouest, pour cause de mariage avec Tom Stevens, le chercheur d'or qu'elle y avait rencontré. Elle avait bravé ses parents — et leur fortune — pour l'épouser et ils avaient eu dix ans de bonheur. Disparus dans un terrible accident d'avion, ils avaient laissé une orpheline de neuf ans — Liza. Esmée s'était chargée de l'enfant, l'élevant comme un oiseau en cage. Mais maintenant, Liza avait scié les barreaux et elle faisait ses premiers pas dans sa vie à elle.

Elle jeta un coup d'œil à Don. Il dormait d'un sommeil de plomb. Pourquoi le réveiller pour lui rendre le volant ? Elle se débrouillait très bien...

Le paysage devint plus accidenté, plus rocheux. Elle passa plusieurs creeks, le plus souvent à sec, mais il y restait parfois de larges flaques d'eau peu profondes et il convenait de traverser les lits de sable avec précaution. La route, qui disparaissait sous une poussière rougeâtre était bordée de hautes herbes roses. Au-delà, sur le fond sombre des rochers, les troncs blancs des gommiers se détachaient comme des éclaboussures. Partout, des baobabs et aussi de gigantesques termitières offrant toutes les nuances du brun.

Elle remarqua quelques ânes sauvages et même un dingo, qui la regarda passer d'un air étonné et curieux. Mais c'était les oiseaux qui la fascinaient le plus : les cacatoès, les impertinents galahs au ventre rose et d'autres qu'elle ne connaissait pas, dansant sur leurs très longues pattes un ballet improvisé dans l'herbe haute.

La route réservait parfois de désagréables surprises, comme ces ornières remplies de poussière qu'on ne voyait pas toujours à l'avance. Don l'avait prévenue : « Si tu ne les évites pas, tu peux dire adieu à la boîte de vitesses ! »

Pauvre Don ! Pourvu qu'il ne soit pas trop mal en point... Il se reposerait chez ses amis, au ranch. Et dire que Crystal Downs était dans la région... Se rendait-on visite, d'un ranch à l'autre ? Quelle importance... Ryan était à Broome... Elle revoyait son visage avec une étrange précision. Qu'avait-il pu faire après l'avoir quittée ? Eh bien, il était allé chercher Debra, il le lui avait dit. Et ils s'étaient couchés. Ensemble. Pendant qu'elle se démenait entre ses draps, seule et frustrée, brûlante...

Mais tout s'arrangerait entre elle et Don. Sûrement. Dès qu'il irait mieux. Refusant de s'avouer que son optimisme sonnait faux, elle se concentra sur la route. Pourvu qu'elle n'ait pas dépassé ce fameux premier tournant ! Car elle approchait d'un gigantesque baobab au double tronc noueux. Etait-ce celui qui marquait le chemin du ranch ? Que voyait-elle ? Un double tronc ou deux arbres collés l'un à l'autre ? Elle ne savait plus... Ah ! Don avait parlé d'un panneau indiquant la direction du ranch...

Liza avait beau écarquiller les yeux, pas la moindre petite pancarte.

Le ciel s'enflammait de rouge. Le crépuscule n'était pas loin. Brusquement, elle se rendit compte qu'elle était perdue, avec un malade, dans la partie la plus sauvage de l'Australie... Autant dire seule. Jusqu'ici, Don avait tout dirigé et elle n'avait pas encore pris conscience du côté réellement aventureux de leur expédition. Mais il ne servait à rien de paniquer. Ce fichu panneau ne pouvait pas être bien loin.

Elle entendit alors les cris rauques d'un vol de cacatoès. Il devait y avoir un point d'eau tout près... Don ne le lui avait pourtant pas signalé. Ou alors elle l'avait oublié ? En tout cas, elle découvrit tout de suite un large creek. Plus alimenté que les autres, il roulait des eaux rouges aux reflets de plomb. Liza amena doucement la voiture au bas de la pente et entra dans le creek, chassant trois pélicans qui prirent lourdement leur vol à son approche. Elle les suivait des yeux quand un choc sourd la fit sursauter. Projeté contre elle, Don grogna sans sortir de sa torpeur. Elle avait sûrement heurté quelque chose... Absorbée par le spectacle fascinant des oiseaux, elle n'avait pas vu les rochers à demi dissimulés sous l'eau écarlate. Dieu merci, le moteur continuait à tourner normalement. Lorsque la voiture parvint sur l'autre rive du creek, Liza poussa un soupir de soulagement, hélas prématuré. La voiture se traîna encore quelques mètres et s'arrêta net.

Liza se précipita et ouvrit le capot, ce qui était stupide car elle ne connaissait rien à la mécanique. Et impossible d'avoir recours aux lumières des garagistes, ici, dans le désert... Ses premiers pas dans l'aventure l'avaient fourrée dans un sacré pétrin. Elle n'osait songer à la colère de Don quand il découvrirait tout ça...

Elle essuya d'une main furieuse les pleurs qui lui brouillaient la vue. Ah non ! Cette fois, les larmes ne pouvaient lui être d'aucun secours. Il fallait réveiller Don. Elle le secoua... Il ouvrit des yeux vides, la regardant comme s'il la voyait pour la première fois. Il n'avait pas l'air bien du tout...

Se souvenant qu'il restait du thé dans la Thermos, elle lui en servit dans le verre de métal qui servait à fermer la bouteille, et y ajouta un comprimé d'aspirine. Il avala le tout lentement et leva vers Liza un regard un peu plus lucide.

— Mais... la voiture est arrêtée! s'affola-t-il. Où sommes-nous? Et la nuit tombe! Nous devrions être arrivés au ranch depuis longtemps!

— Je sais bien, Don... Mais la voiture... enfin, j'ai heurté un rocher dans le creek et elle ne veut plus avancer.

— Le carter! Tu as fait un trou dans le carter!

Liza était d'une ignorance absolue en matière de carter, mais à l'air atterré de Don, elle comprit que c'était grave.

— Je vais aller chercher du secours, s'écria-t-elle fébrilement en sortant une carte et une lampe de poche de la voiture. Si tu me montres où nous sommes...

— Mais je n'en sais rien! Il fait noir comme dans un puits, ici! Dieu sait dans quel trou tu nous as amenés!

— Si tu ne te sentais pas en état de conduire, il ne fallait pas partir...

— N'essaie pas de me faire porter la responsabilité de tes erreurs, Liz! C'est toi qui aurais dû me réveiller si tu n'étais pas sûre d'être sur la bonne route. Maintenant, nous voilà coincés ici pour la nuit. Donne-moi la torche.

Il sortit de la voiture en titubant légèrement et se pencha sur le moteur. Le front ruisselant de sueur, il était presque effrayant dans la lumière fantasmagorique de la torche. Il se glissa bientôt sous le véhicule.

— C'est bien ça. Le carter est fichu.

— Et... que peut-on faire ? demanda Liza d'une voix étranglée.

— Rien. Rien du tout ! A quoi avais-tu la tête en conduisant ?

A autre chose, hélas... Mais il était trop tard pour les regrets.

— Prends le jerricane et les sacs de couchage dans le coffre, ordonna-t-il d'un ton coupant. J'ai la gorge sèche...

Elle s'exécuta en silence et ramena aussi les restes de leur déjeuner. Mais Don ne voulut rien manger. Il avait seulement une soif terrible. Et il tremblait. Quelques minutes plus tard, il se glissait dans son sac de couchage et retombait dans un sommeil lourd. Liza suivit son exemple. Que faire d'autre ? Mais elle ne s'endormit pas aussi facilement. Comment allaient-ils se sortir de là ? Ses pensées dérivèrent vers Ryan Langton. C'était bizarre, inexplicable, mais elle ne pouvait croire que leurs chemins ne se croiseraient plus.

Don eut un gémissement sourd.

— Qu'est-ce qu'il y a, Don ? Ça ne va pas ?

Malgré ses yeux grands ouverts, il était évident qu'il ne la voyait pas.

— De l'eau... souffla-t-il.

Elle lui tendit le jerricane, l'aida à boire et le vit aussitôt sombrer de nouveau dans un sommeil fiévreux.

La nuit parut interminable à Liza. Le ciel étoilé était magnifique et des ombres fantastiques et mouvantes glissaient autour d'eux. Indifférente à tout, elle ne pouvait que s'inquiéter pour Don et essayer de trouver un moyen de les tirer de là. Demain, elle pourrait partir en reconnaissance... ou plutôt, allumer un feu pour signaler leur présence...

Elle ouvrit les yeux, alertée par un petit bruit. Comme par miracle, il faisait jour... Elle avait donc fini par s'endormir. Mais... où était Don ? Il avait disparu !

Elle s'extirpa de son sac de couchage et l'aperçut tout de suite, tentant maladroitement d'escalader un roc au pied d'une colline escarpée. Est-ce qu'il délirait ? Il allait se casser le cou ! Elle courut vers lui.

— Don ! Attention !

En l'entendant, il se retourna d'un bloc, vacilla, essaya de retrouver son équilibre... et s'écroula sur le sol.

Hors d'haleine, Liza le rejoignit. Il ne se relevait pas.

— Don ! Tu m'entends ?

Penchée sur lui, elle essuya la sueur qui inondait son visage livide. Après un long moment, il murmura quelques mots incompréhensibles. Grâce à Dieu, il reprenait conscience...

Il voulut même se redresser, mais retomba lourdement en grimaçant de douleur.

— Ma jambe... Je ne peux pas la bouger... Ah ! N'y touche pas ! gronda-t-il en voyant Liza avancer la main.

— Tu ne t'es pas cassé la jambe ?

— Pas la moindre idée, fit-il, les dents serrées. Peux pas la bouger, c'est tout.

— Oh ! Don... Qu'est-ce que je peux faire ?

— Rien. A moins que tu ne te sentes capable d'escalader cette colline pour inspecter les environs ? C'est ce que j'allais faire quand tu t'es mise à hurler comme si un serpent t'avait mordue !

Liza en aurait pleuré. Le moindre de ses gestes se retournait contre eux ! Il y avait un sentier à peine tracé, en haut de la colline. Elle se dirigea de ce côté, grimpant avec mille précautions. Si elle tombait et se cassait elle aussi quelque chose, ils étaient perdus.

Haletante, trempée de sueur, elle atteignit enfin le sommet et scruta les environs. Non, elle ne voyait rien. Seulement des taches noires, là-bas. Des taches qui bougeaient un peu... C'était peut-être du bétail ? Avec un peu de chance, ils se trouvaient sur une propriété. Elle redescendit doucement, le dos au roc pour assurer son équilibre.

— Je crois que j'ai vu du bétail, Don. Qu'est-ce que je fais ? Ça ira si je te laisse seul pour aller chercher de l'aide ?

Prostré sur le sol, il tremblait de nouveau, semblant très mal en point.

— Donne-moi mon sac de couchage. J'ai froid...

Il fut incapable de prononcer un mot de plus. Dès qu'il fut installé le plus confortablement possible, il s'endormit. Liza le contempla un instant, désemparée. Que faire ? Le seul recours qui lui restait, c'était d'envoyer un S.O.S. en allumant un feu. Elle n'avait pu voir s'il y avait quelqu'un près du bétail. Quoi qu'il en soit, la fumée serait peut-être visible plus loin que le troupeau... ?

Elle mit un bon moment à ramasser un gros tas d'herbes et de branches, sans oublier de prendre du bois vert pour que le feu produise beaucoup de fumée. Elle craqua une allumette... et bientôt, une colonne bleue montait vers le ciel.

Dès que le feu fut bien parti, elle courut chercher d'autres branchages pour l'alimenter sans arrêt. Elle se donna beaucoup de mal, sans se soucier des épines qui écorchaient ses bras et déchiraient son chemisier mauve, ni de la sueur qui coulait sur son visage car le soleil était déjà haut. Finalement, les joues noircies par la fumée, son petit chapeau de paille de travers, elle sentit que ses forces l'abandonnaient. Et les flammes baissaient... Où trouver davantage de combustible ? Elle avait ramassé tout ce qui pouvait brûler aux alentours.

L'angoisse et l'épuisement la paralysaient quand le bruit d'un moteur lui fit tourner la tête. Etait-ce une hallucination ? Hébétée, ne parvenant pas à croire à ce miracle, elle se mit à courir en direction de ce ronronnement. Et lorsqu'une Land-Rover couverte de poussière apparut entre les arbres, Liza se précipita, agitant frénétiquement les bras.

Le véhicule stoppa tout près d'elle. La portière s'ouvrit et elle faillit s'évanouir de saisissement en reconnaissant Ryan Langton.

Chapitre trois

Liza n'aurait pas paru plus stupéfaite s'il était tombé du ciel! De plus, le Ryan Langton qu'elle avait sous les yeux était bien différent de l'homme raffiné de Broome... En chemise kaki, pantalon de brousse et bottes de cuir fauve, il était en parfait accord avec la rudesse du paysage. Il descendit de voiture et Liza sentit son cœur battre plus vite sous l'éclair bleu de son regard.

— Liza Stevens! fit-il en martelant chaque syllabe. Qu'est-ce que vous fabriquez sur mes terres? Mais vous êtes tout égratignée, avec des joues de ramoneur et une toilette pleine de trous...? On dirait que vous avez passé les dernières vingt-quatre heures à lutter contre un feu de broussailles! Que vous est-il arrivé?

Liza faillit éclater d'un rire hystérique. Seigneur! Comme c'était bon de voir enfin quelqu'un. Et quelqu'un qu'elle... connaissait.

— Vous... vous avez vu la fumée? demanda-t-elle d'une voix mal assurée. Je ne savais pas si ça marcherait, ni si je pouvais faire du feu ici en toute sécurité... mais je vais vous expliquer, je ne pouvais pas demander à Don parce que... eh bien, il n'aurait pas pu...

Son débit se précipitait, comme un moteur qui se

remet en marche. Ryan la prit par l'épaule et l'interrompit en la secouant doucement.

— Je ne comprends rien à ce que vous racontez ! Allons, calmez-vous et dites-moi ce qui est arrivé à Don.

Liza se mordit les lèvres. Pourquoi fallait-il qu'elle se comporte toujours comme si elle avait dix ans ?

— Il... il est blessé...

— Blessé ? Où est-il ?

— Là-bas, près des rochers. Il a fait une chute, il ne peut plus se relever.

Malgré le contact troublant des doigts de Ryan sur son épaule, c'était de joie que tremblait Liza : ils étaient sauvés ! Jusqu'ici, elle avait repoussé la peur au plus profond d'elle-même pour pouvoir agir, mais à présent que tout s'arrangeait, elle se rendait compte de la terreur qu'elle avait eue de mourir de faim et de soif dans ce désert.

Don, réveillé par les voix, ouvrit des yeux incrédules en voyant Ryan.

— Où avez-vous mal ? fit abruptement celui-ci.

Il n'était pas besoin d'être grand clerc pour deviner que Ryan blâmait Don d'avoir quitté Broome malgré son état.

— Ma jambe... Liza a esquinté la voiture et on a dû passer la nuit ici. Ce matin, j'ai voulu escalader ce rocher pour tenter de me repérer et cette...

— Et je l'ai appelé, coupa vivement Liza. Il s'est retourné et il a perdu l'équilibre.

— Voyons ça.

Ryan s'agenouilla auprès de Don.

— La rotule est cassée... dit-il après un bref examen. Je vais fabriquer une attelle de fortune pour vous transporter jusqu'à la Land-Rover et vous ramener à la maison. Ma sœur fera venir l'ambulance aérienne qui vous conduira à Kununurra.

Tandis qu'il allait vers la voiture pour prévenir sa sœur par radio, Liza regarda Don avec un pauvre petit sourire mouillé de larmes... Des larmes de soulagement.

— Ah ! tu ne vas pas pleurer, maintenant ! maugréa-t-il. Ça n'est vraiment pas le moment !

Ainsi, elle ne pouvait même pas sourire sans que ce soit à contretemps ! Elle s'efforça de reprendre contenance. C'était affreux de découvrir qu'on était si faible. Debra Davis avait vu juste. Il suffisait de quelques petits ennuis pour qu'elle s'effondre lamentablement.

Ryan amena la Land-Rover le plus près possible du blessé, puis il confectionna une attelle à l'aide de branches et de chiffons et porta Don sur le siège arrière.

— Et la voiture ? demanda Liza d'une voix hésitante. Vous allez la tirer derrière vous ?

— Sûrement pas. Le trajet sera déjà assez pénible pour votre ami ! Prenez tous les bagages, ça vous permettra de l'accompagner à Kununurra sans avoir à repasser par ici.

Ayant déposé leurs affaires dans le coffre, il reprit le volant et Liza monta à côté de lui. Elle se sentait vidée. De plus, elle aurait bien préféré que ce ne soit pas lui qui leur porte secours et qu'un autre ait été le témoin de ses bêtises...

— Comment vous êtes-vous débrouillée pour atterrir chez moi ? fit Ryan en démarrant.

Croyait-il donc qu'elle l'avait fait exprès ?

— Je ne me suis pas... débrouillée, répondit-elle, décontenancée par l'intensité de son regard sur elle. J'ai manqué un tournant, c'est tout. Nous allions au ranch de Wyuna Downs. Don y a des amis.

Ryan se mit à rire.

— Wyuna Downs ? Mais vous lui tourniez le dos !

Pourquoi trouvait-il cela si drôle, tout à coup ? Mal à l'aise, elle s'agita sur son siège et effleura par mégarde la cuisse de Ryan. Aussitôt, elle se rejeta sur le côté, écarlate. Il était capable de croire que ça aussi, elle l'avait fait exprès !

— Vous êtes bien rouge, Liza... Auriez-vous attrapé cette fièvre à votre tour...? Tout de même, ça m'étonne que vous vous soyez perdue ainsi. Vous n'aviez pas de carte ?

Elle se mordit les lèvres.

— Je vous assure que je me suis égarée ! Demandez donc à Debra si je suis du genre à savoir lire une carte ! D'ailleurs, j'aimerais bien savoir qui arrive à consulter ces dépliants géants tout en conduisant.

— Ceux qui ont l'idée de s'arrêter pour le faire... Si vous voulez mon avis, vous n'auriez pas dû conduire.

Encore un qui ne supportait pas les femmes au volant !

— Ne vous méprenez pas, fit-il comme s'il l'avait devinée, je n'ai rien contre les femmes qui conduisent, mais il est très difficile de rouler dans l'*outback*. Et vous semblez si fragile... Le moindre souffle de vent pourrait vous emporter !

— Oh ! Pas du tout ! Quand je décide de m'installer quelque part, il faut au moins un cyclone pour m'en déloger.

— Alors, décidez de vous installer ailleurs. Vous ne comprenez rien à ce pays.

Blessée, Liza baissa les yeux en songeant à la nuit précédente.

— J'apprends.

Après tout, plus d'une fille dans sa situation se serait affolée ! Evidemment, il n'y avait pas de félicitations à attendre de Ryan Langton. Pour lui, avoir du sang-froid était naturel.

— C'est toujours la même histoire avec ces gens du Sud, reprit-il. Ils arrivent dans le désert pour prouver je ne sais quoi à je ne sais qui et quand ils sont coincés, il faut qu'on vienne les sortir de là !

— Je suis navrée, assura-t-elle d'un ton irrité qui disait juste le contraire. Je suppose que Don n'aurait pas dû tomber de sommeil et que j'ai eu tort de conduire à sa place ! Plutôt que de m'abreuver de vos conseils, laissez-moi descendre ici, n'importe où et qu'on n'en parle plus !

— Moi, vous débarquer en plein désert ? Vous rêvez, ma chère Liza ! Allons, calmez-vous. Votre ami qui somnole à l'arrière est à blâmer tout autant que vous. Il aurait dû songer à votre manque d'expérience avant de se lancer, malade comme il l'était.

— Parce que vous, vous ne faites jamais d'erreurs ?

Liza retenait ses larmes. Elle ne voulait pour rien au monde se montrer faible. Elle était déjà si peu à son avantage dans ses vêtements fripés et avec le petit tas de paille noircie qui lui servait de chapeau...

— De toute façon, vous n'êtes pas du genre à laisser votre voiture aux mains d'une femme, pas même celles de Debra Davis !

On sentait les sanglots dans sa voix. Elle était

sûre qu'il s'en était rendu compte. Oh! comme elle le détestait!

— Debra Davis est une personne sur qui on peut compter, fit-il sèchement.

Bien sûr! Avec son esprit pionnier, Debra Davis pouvait tout faire et tout supporter! Ecœurée, Liza se cala au fond de son siège et ferma les yeux.

— Vous avez attrapé ce virus, déclara Ryan. Avec un peu de chance, l'ambulance se posera sur mon terrain d'atterrissage dans une demi-heure et vous pourrez partir tous les deux.

Une voix faible mais décidée s'éleva à l'arrière :

— Liza ne vient pas avec moi!

Don était réveillé...

— Il faut bien que quelqu'un aille chercher la voiture quand elle sera réparée et ce ne sera certainement pas moi!

Liza jeta un regard interrogateur à Ryan. Evidemment, il y avait cette voiture... Visage fermé, regard dur, Ryan ne semblait pas pressé d'offrir l'hospitalité à la jeune fille. Son silence la blessa profondément. Il semblait vouloir se débarrasser d'elle au plus vite comme on renvoie un importun. Tout le monde se retournait contre elle. Depuis deux jours, on ne lui avait pas dit un mot gentil! Personne ne voulait reconnaître ses mérites car après tout, si elle n'avait pas envoyé des signaux de fumée... Mais qui était-elle pour Ryan? Il était impatient d'en finir avec eux, c'est tout. Elle ne pouvait pas lui en vouloir de cela. L'attraction magnétique qui les avait rapprochés un instant s'était bel et bien évanouie... Les conditions ne devaient pas être propices, songea-t-elle amèrement.

— Ma sœur sera contente de voir du monde, déclara soudain Ryan.

Si elle ressemblait à son frère, l'accueil allait être charmant... Liza n'avait vraiment pas envie d'engager la conversation avec une porte de prison dans le genre de Ryan. Tout ce qu'elle désirait, c'était filer dans cette ambulance, et le plus vite possible. Pour la voiture, Don s'arrangerait autrement.

Les abords de la propriété furent une surprise pour elle. Elle ne s'attendait pas à ce jardin luxuriant plein de superbes fleurs exotiques aux couleurs éclatantes, parmi les poivriers et les palmiers. Ils s'arrêtèrent devant un élégant bâtiment de deux étages, au toit gris-vert et aux murs blancs. Au premier, un balcon faisait le tour de la maison et devant, une magnifique véranda était couverte de vigne vierge.

C'était une demeure particulièrement accueillante, si l'on oubliait les manières rudes du propriétaire des lieux. Sa sœur serait-elle plus aimable ? Après toutes ces émotions, Liza avait le plus grand besoin d'un peu de chaleur humaine.

Elle descendit de voiture sans attendre que Ryan lui ouvre la portière. Sur la pelouse ombragée, tout était prêt pour le thé, sur une table de jardin. Et Liza regarda avec convoitise le grand plat de gâteaux aux raisins posé sur la nappe jaune vif.

— Ça ira, Don ? s'inquiéta-t-elle.

Avec sa jambe raide et son visage trempé de sueur, il était presque pathétique. Il ouvrit les yeux pour murmurer :

— Oui... Enfin, je serai content d'arriver à Kununurra.

— Nous devrions partir bientôt, maintenant, fit-elle gentiment.

46

Une jeune femme s'avançait vers eux. Vingt-huit ou vingt-neuf ans, mince, hâlée, les cheveux blonds et raides, elle portait une jupe en toile de jean et un chemisier blanc très simple. Ryan fit les présentations.

— Ma sœur, Gene Fleming. Gene, voici Liza Stevens et notre blessé, Don Harris.

— Bonjour! Quelle aventure! Venez, Liza, vous allez faire un brin de toilette pendant que je prépare le thé...

Cette merveilleuse hôtesse était bien plus aimable que son frère!

— Que diriez-vous d'un comprimé contre la douleur, Don?

— Non, non... Ce n'est pas douloureux. Une tasse de thé suffira. Je préfère qu'un médecin décide du traitement.

Don aurait pu surmonter son anxiété et être un peu plus affable... Quel ours, tout de même! Mais Gene ne se formalisa pas de sa réaction.

— La tasse de thé arrive tout de suite! s'écriat-elle. Suivez-moi, Liza, je vais vous montrer votre chambre. Ryan montera vos bagages. Où alliez-vous quand l'accident s'est produit?

— Nous sommes en route pour Darwin et nous devions passer la nuit chez des amis de Don, à Wyuna Downs.

— Mais vous alliez juste dans la direction opposée! Il est vrai que pour ne pas se perdre dans le district de Kimberley, il faut y être né...

Elles entrèrent dans la maison qui était belle et confortable. Sur les planchers cirés, de luxueux tapis étouffaient le bruit des pas. Une porte claqua. Sans doute Ryan apportant les valises...

— Vous allez à Darwin pour vos vacances ? reprenait Gene.

— Non. Don veut racheter le *Jabiru Safari Tours* et si l'affaire se fait, j'y travaillerai.

— Vous êtes sûre que ça vous plaira ?

— Certaine ! affirma Liza.

A cet instant, elle sentit la présence de Ryan derrière elle et son cœur se mit à battre plus vite.

— Pourquoi ne restez-vous pas avec nous quelques jours, le temps que votre ami se remette ? proposa la jeune femme en la précédant dans l'escalier.

Et s'arrêtant pour se tourner vers son frère, elle ajouta :

— Qu'est-ce que tu en penses, Ryan ? Ça n'est pas une bonne idée ?

Liza s'empourpra et avant qu'il ne révèle le fond de sa pensée — c'est-à-dire que c'était une idée détestable —, elle s'empressa de refuser :

— Merci beaucoup. Je crois qu'il est préférable que je prenne l'avion avec Don.

— Oh ! pourquoi ?

Gene semblait sincèrement désolée. Voyait-elle vraiment si peu de monde ? Elle repartit.

— Parce que Liza devra être hospitalisée sous peu, intervint Ryan.

Décidément, il y tenait ! Elle était sûre de ne pas être malade, mais naturellement, Ryan Langton en savait plus qu'elle sur son propre état de santé...

— La salle de bains est juste en face, fit Gene en ouvrant la porte d'une chambre du premier. Vous ne vous sentez pas trop mal, pour l'instant ?

Liza fit non de la tête.

— Mais alors, qu'est-ce que Ryan nous raconte avec son hospitalisation ?

— Tu n'as aucun sens de l'observation, ma chère sœur... Tu n'as pas reconnu les symptômes de la maladie de son... ami ?

A la façon dont il avait prononcé ce dernier mot, n'importe qui aurait compris qu'il ne s'agissait pas de simple camaraderie... Cette fois, il allait trop loin.

— Evidemment, reconnaissait Gene, il est bien rouge... Bon, je vais préparer le thé...

Elle s'éloigna et Ryan ajouta froidement :

— Ne passez pas trop de temps à vous pomponner, Liza. Il faut que vous soyez prête dès qu'on entendra les moteurs de l'avion.

— N'ayez aucune crainte, fit-elle sur le même ton. Je m'en voudrais d'abuser plus longtemps d'une aussi chaude hospitalité.

— Heureux de l'apprendre. J'avais cru comprendre le contraire. J'espère que vous avez compris que le Nord ne ressemble pas à Perth ?

— Il n'y a pas que le pays qui soit différent ! répliqua Liza, furieuse. Les hommes aussi !

— Je suis tout à fait de votre avis.

Il la fixa si intensément qu'elle ne put soutenir son regard plus de trois secondes. Elle baissa les yeux, désespérée de se sentir si faible puis, lui tournant brusquement le dos, elle entra dans la chambre et ferma la porte. Aussitôt, elle s'effondra sur le lit.

Pourquoi était-ce lui qui avait vu la fumée ? Justement lui ?... Elle avait au moins appris que l'attirance physique n'était que piège et illusion. Elle préférait cent fois aimer un homme comme Don, même si elle n'éprouvait aucun désir pour lui... Bien sûr, il avait été injuste en essayant de lui faire porter toute la responsabilité des événements. Mais il avait des excuses. Il était malade. En général, il était capable de tolérance et d'humanité. Tandis que Ryan Langton, avec ses muscles, son assurance et ses fascinants yeux bleus, n'avait pas de cœur ! Et Liza souhaitait bien du bonheur à Debra Davis. Elle n'irait sûrement pas lui disputer son héros !

Elle finit par se calmer. S'approchant de la fenêtre, elle fut saisie par le paysage — une plaine parsemée d'arbres, dont la seule limite était une lointaine chaîne de montagnes, pas très hautes et abruptes, à l'horizon. Ce ranch devait être immense. Malgré elle, Liza fut envahie par une sorte d'exaltation devant cet espace grandiose. Décidément, Don se trompait en affirmant qu'elle ne pourrait rester plus de deux jours dans ce pays...

Elle prit une douche rapidement, non pour obéir à Ryan, mais pour ne pas faire attendre Don si l'avion arrivait. Et puis elle mourait de faim et les gâteaux aperçus sur la table du jardin la hantaient. Elle choisit dans sa valise une ample jupe vanille et un corsage bleu ciel en voile de coton. Elle aimait les étoffes légères, les toilettes simples et très féminines, les couleurs délicates...

Elle était encore en slip et soutien-gorge, debout devant la coiffeuse, s'efforçant de discipliner ses longs cheveux humides, quand Ryan entra sans frapper. Rouge d'indignation, elle s'écria :

— Vous auriez pu vous annoncer ! Que voulez-vous ?

Mais il la détaillait tranquillement du regard et Liza, oubliant sa colère, sentit sa respiration s'affoler... Sa poitrine se soulevait. Soudain, elle avait l'impression de manquer d'air. Pourquoi restait-il là, immobile et silencieux, à la contempler de cette façon qu'elle n'aimait pas ? A moins qu'elle n'y prenne un peu trop de plaisir, au contraire ? Que signifiait cette espèce de contraction qu'elle ressentait au niveau de l'estomac et qui, elle en était certaine, n'était pas due à la faim ?

— Je peux redescendre vos bagages... ?

Il mentait. Liza en avait la certitude. Elle venait de comprendre. Ryan Langton se souciait peu de ses valises. Il n'était monté que parce qu'elle l'attirait...

— Non, je n'ai pas terminé, fit-elle d'une voix qu'elle ne se connaissait pas. Laissez-moi m'habiller, voulez-vous ? L'avion n'est pas encore arrivé ?

— Vous voilà de nouveau charmante... après la douche...

Muette d'émotion, elle était incapable de bouger. Qu'avait-il dit là ? Oh ! pourquoi ne partait-il pas ? Faisait-il d'elle tout ce qu'il voulait, rien qu'en la regardant... ?

Il s'avança. Elle recula jusqu'à la coiffeuse, la respiration haletante... Si une minute plus tôt, elle ne songeait qu'à quitter le ranch au plus vite pour ne jamais revoir cet homme arrogant, maintenant, elle n'y pensait plus du tout. Elle le fixa dans les yeux jusqu'à ce qu'il s'empare de ses lèvres.

Il l'enlaça. Sa bouche se fit possessive. Liza ferma les yeux et s'abandonna à ce baiser, à la chaleur de ce corps, à la violence du désir de Ryan pour elle.

— Qu'allons-nous faire ?

Avait-elle parlé à voix haute ? Cette question emplissait soudain son esprit et elle levait vers lui un regard éperdu.

— Rien d'autre, Liza, fit-il d'une voix tendue, encore vibrante de passion. Nous sommes déjà allés trop loin.

— Je... Je ne comprends pas... balbutia-t-elle, affolée à l'idée de quitter ses bras.

Il l'écarta fermement.

— J'ai quelques principes, si vous n'en avez pas, déclara-t-il avec une étrange douceur. Non que je vous rende responsable de tout ça, Dieu sait que moi aussi... Il faut oublier, voilà tout.

Liza était livide. Il avait déjà agi ainsi, à Broome... Comment pouvait-il... après ce qui venait de se passer entre eux ? Ou plutôt en elle, car que savait-elle de ce qu'il avait ressenti ? Que connaissait-elle des hommes ? Rien. Don ne lui avait rien appris. Don qui lui semblait maintenant si loin d'elle que ç'en était effrayant.

Au supplice, elle écouta Ryan lui confirmer sèchement sa naïveté.

— Si vous avez pour deux sous de bon sens, mademoiselle Stevens, vous limiterez les dégâts en quittant le ranch le plus vite possible... Je viendrai chercher votre valise quand vous ne serez plus dans cette chambre. Et au moment du départ, ne vous croyez surtout pas obligée de m'embrasser...

Il était parti. Et Liza le détestait d'avoir dit des choses pareilles. D'avoir si bien perçu ce qu'elle éprouvait. Quelle idiote elle faisait ! Comment avait-elle pu se laisser aller ainsi entre ses bras ? Combien d'humiliations de ce genre lui faudrait-il pour comprendre que Ryan Langton était un homme dangereux ? Dieu merci, encore une heure et elle en serait délivrée.

Elle s'habilla et ferma sa valise d'un coup sec. C'était enrageant, mais elle devait reconnaître qu'elle ignorait tout des règles de ces jeux d'adultes. Des règles, des pièges... et de son partenaire. Ou fallait-il dire « adversaire » ?

Tout se brouillait dans sa tête. Et la seule certitude qui émergeait de tant de confusion n'avait rien de réjouissant : il suffisait que Ryan Langton la tienne sous son regard bleu pour qu'elle devienne une autre.

Une autre qu'elle ne connaissait pas et qui ne semblait pas vraiment digne d'estime.

Chapitre quatre

Lorsqu'elle fut sur la pelouse, attablée à côté de Gene, Liza fut bien obligée de constater que ce qu'elle venait de vivre avec Ryan ne lui avait pas coupé l'appétit. Ryan n'était pas là, heureusement. La charmante maîtresse de maison servit le thé et sa jeune invitée dévora quatre gâteaux coup sur coup. Tout ruisselants de beurre, ils étaient délicieux.

— Vous les avez faits vous-même, Gene ? Ils sont fabuleux ! s'écria-t-elle enfin.

— Je n'y suis pour rien ! Quand Ryan m'a avertie de votre arrivée, j'ai demandé à Selma de se mettre à ses fourneaux... Selma est la femme de notre mécanicien. Mais vous ne m'avez pas raconté vos mésaventures ? Ryan est muet comme une carpe, pas moyen de lui arracher un mot !

— Tout est de ma faute... commença Liza avec un petit sourire penaud.

Et elle lui raconta leur voyage, le passage du creek et l'accident de Don, pas très fière d'elle-même.

— Voyons, Liza ! Ce n'est tout de même pas votre faute si Don a glissé ! déclara Gene, rassurante. Et si vous n'aviez pas eu la présence d'esprit d'allumer ce feu, vous ne seriez pas encore tirés d'affaire...

— C'est vrai... J'ai été tellement stupéfaite quand j'ai vu qui venait à notre secours !

— Comment ça ? Vous connaissiez déjà Ryan ? Décidément, les hommes sont incompréhensibles ! Il ne m'en a rien dit !

— Nous nous sommes simplement croisés à Broome, l'autre jour... Debra est une amie de Don, ajouta-t-elle pour bien montrer qu'elle était au courant.

Don les interrompit en appelant Liza de la voiture. Celle-ci s'excusa et le rejoignit.

— Tu as besoin de quelque chose, Don ?

— As-tu trouvé une solution pour la voiture ?

— Non... Je...

— Ecoute, tout est arrivé à cause de toi. Tu dois t'en occuper maintenant, fit-il, agressif.

— Je sais... mais je ne peux pas rester ici, Don. Je n'ai pas été invitée et Ryan ne semble pas disposé à...

— Oh ! ça suffit avec ton Ryan ! Débrouille-toi pour te faire inviter par sa sœur. Et ne va pas t'imaginer que ce serait manquer d'éducation ! Ta tante Esmée n'est pas là pour te taper sur les doigts et sans ton insouciance on ne serait pas dans cette situation. Tu n'as qu'à expliquer à Langton que tu restes tant qu'il n'a pas fait dépanner la voiture.

— Mais pourquoi ne te charges-tu pas de...

— De quoi ? Grâce à tes bons soins, je suis complètement immobilisé ! Si tu crois que...

Il se tut en apercevant Gene qui approchait. Liza rougit jusqu'aux oreilles, terrifiée à l'idée qu'elle ait pu entendre. Mais Don enchaîna d'un ton naturel, pas gêné le moins du monde.

— Nous parlions justement de la voiture. Vous devez avoir un mécanicien, ici ? Je sais que ça risque de vous déranger, mais est-ce qu'il ne pourrait pas faire les réparations nécessaires? Liza n'osait pas vous le demander. Je crois qu'elle est un peu honteuse d'avoir créé toutes ces complications...

— Tranquillisez-vous, le rassura Gene. Ryan enverra Charlie examiner votre voiture. Il n'y a pas de problème.

— Si... Il y en aurait un si Liz prenait l'avion avec moi. Quand le carter sera réparé, il faudra bien que quelqu'un ramène la voiture à Kununurra. Si ça ne vous gênait pas trop de l'héberger en attendant que Charlie ait tout remis en état.

Liza ne savait plus où se mettre.

— Ryan pense que je devrais prendre l'avion avec Don, rappela-t-elle.

Le jeune homme lui lança un regard furieux.

— C'est seulement parce qu'il craint que vous n'ayez attrapé ce virus, affirma Gene. Je serai ravie de vous accueillir. C'est même la seule solution sensée comme l'a démontré votre ami, ajouta-t-elle d'un ton sec.

Don ne lui était visiblement pas sympathique. Elle s'éclipsa pour aller prévenir Ryan.

— Voilà! conclut Don d'un air satisfait. Tout est arrangé pour le mieux, non?

Pour le mieux? Il serait moins faraud s'il savait ce qui s'est passé dans la chambre, se dit Liza, consternée par son sans-gêne. Soudain, on entendit un moteur d'avion... Ryan apparut sur le perron, la valise de Liza à la main, juste au moment où Gene allait entrer dans la maison.

— Oh! Ryan, ce n'était pas la peine! Liza va rester avec nous jusqu'à ce que leur voiture puisse reprendre la route. Si elle est fiévreuse, je la soignerai. Cela ne te dérangera pas du tout et moi, j'aurai de la compagnie pendant que vous vous occupez du bétail, les garçons et toi...

Ryan lâcha la valise et marcha vers Liza d'un air décidé.

— Alors, vous restez, mademoiselle Stevens ? Vous espérez vraiment ramener la voiture seule à Kununurra ? A en juger par vos récents exploits, vous pourriez à peine passer la grille d'entrée sans vous perdre ! Enfin, puisque ma sœur en a décidé ainsi...

Il s'installa au volant de la Land Rover. Liza préférait ne pas les accompagner jusqu'à l'avion, pour éviter de se retrouver seule avec Ryan, au retour.

— Pas facile, ce Ryan, chuchota Don en s'excusant d'un sourire. Mais ça va aller. Je suis sûr qu'il te trouvera quelqu'un pour t'accompagner à Kununurra. Liz, je me suis un peu énervé tout à l'heure... Tous ces ennuis... Tu comprends, n'est-ce pas ? Sans rancune ?

— Sans rancune. J'espère que tu seras vite rétabli. Je te rejoins à Kununurra dès que possible. Au revoir, Don.

Elle posa une main sur la sienne mais ne l'embrassa pas. Son attitude indifférente la mettait mal à l'aise — il ne s'était préoccupé que de sa voiture... Mais après tout, quel homme aurait été capable de brûler d'amour avec une forte fièvre et un genou en compote ? Aucun... Surtout pas lui !

L'avion approchait, flèche gris-argent sur le bleu franc du ciel. Dans quelques instants, Don serait loin et Liza livrée à elle-même. Ce voyage prenait une tournure qu'elle avait été loin de prévoir en quittant Perth... D'ailleurs, l'avenir ne lui paraissait plus aussi bien tracé qu'elle le croyait alors. Bien sûr, elle travaillerait pour Don mais elle y réfléchirait à deux fois avant de s'engager sur le plan personnel. Il n'y a pourtant pas de raison pour que ça ne marche pas entre nous, se dit-elle, retrouvant son vieil optimisme, aussi faux que rassurant.

Gene l'accompagna jusqu'à sa chambre où elle s'allongea. Elle était vraiment à bout. Et ce séjour au ranch des Langton s'annonçait difficile.

Le soleil de la fin de l'après-midi baignait la chambre d'une lumière dorée. Liza ouvrit un œil et, pendant un instant, se demanda où elle était. Soudain, elle se souvint de tout et se redressa sur le lit, le cœur battant. Elle dormait sous le toit de Ryan et Don était parti... Elle allait s'habiller et descendre. Demain Ryan serait sûrement absent à cause de son travail. Il fallait qu'elle lui parle de la voiture ce soir.

— Vous êtes réveillée ?

Décidément, il ne savait pas frapper aux portes ! Liza allait protester quand elle vit l'adorable petite fille qui l'accompagnait, une poupée de chiffon contre son cœur. Ryan la prit dans ses bras et entra. L'enfant avait les cheveux aussi noirs que les siens mais contre la peau tannée de l'homme, ses joues roses semblaient de porcelaine.

— Voici Belle... Elle ne vous a pas vue tout à l'heure et elle voulait vous dire bonjour avant de dîner.

— Bonjour, Belle...

— Bonjour ! Elle, c'est Missie, fit l'enfant en présentant sa poupée.

Etait-ce la fille de Ryan ? Don avait parlé d'un

premier mariage mais Liza avait cru comprendre qu'il avait perdu sa femme depuis longtemps.

— Dis-moi, que vas-tu manger pour dîner ? fit gentiment Liza.

— Un œuf mollet... Toi aussi, tu peux en avoir un, si tu veux ! Tu es malade ?

— Non, j'avais sommeil, mais je vais me lever maintenant.

Ryan embrassa la fillette.

— File dîner, mon chou. Ton œuf va finir par durcir si tu discutes trop longtemps.

Elle détala comme un petit lapin, laissant Liza sous le charme. Puis, se rendant compte qu'elle était seule avec Ryan — et en pyjama ! —, elle remonta vivement le drap sur sa poitrine. Combien de temps allait-il la dévisager ainsi ? L'expression de tendresse qui illuminait son visage quand Belle était là avait cédé la place à un air très différent. Liza ne pouvait détacher son regard de lui.

— Arrêtez de me fixer avec ces grands yeux éperdus ! s'écria-t-il enfin. J'aimerais bien savoir à quoi vous pensez ?

Est-ce qu'il ne le devinait pas ? Elle rougit violemment et balbutia la première phrase qui lui vint à l'esprit.

— Cette fillette... Belle... Qui est-ce ?

— La fille de Gene. Une vraie charmeuse, non ? Gene... Fleming. Mais oui, elle était mariée !

— Et... le mari de Gene vit ici ?

— Il est mort il y a un an, à Perth. C'est pour ça qu'elle est revenue.

— Oh !... je suis désolée... Je ferais mieux de m'habiller, à présent.

— Vous semblez plus en forme. Ce virus vous a peut-être épargnée ? Avant de vous laisser, j'aimerais savoir qui je dois informer de votre présence ici.

Si son oncle apprenait qu'elle était ici, il n'aurait de cesse que Ryan l'ait ramenée au bercail... Et elle n'y tenait pas du tout.

— Il n'y a personne à informer. Don sait où je suis.

Le regard de Ryan se fit plus aigu.

— Et c'est le seul qui compte, n'est-ce pas ?

De quoi se mêlait-il ?

— Oui, fit-elle d'un air têtu.

Qu'il interprète cette réponse comme il voulait ! Il la regarda longuement sans rien dire — impénétrable. Finalement, il murmura :

— Décidément, vous m'intriguez, mademoiselle Stevens.

Ses yeux la parcouraient lentement, s'attardant sur le haut de son pyjama rehaussé de dentelle. Un pyjama vraiment joli, en toile très fine, à peine transparente. Coûteux, oui, mais tout à fait ce qu'elle aimait.

— Un vrai sucre d'orge, avec vos vêtements pastel, vos yeux couleur de myrtille et votre peau de pêche... Il est évident que vous êtes de bonne famille. Et j'aimerais bien comprendre ce que vous mijotez... Vous ne vous enfuiriez pas avec Don Harris, par hasard ?

— Pas du tout !

Elle rougit. Au départ, ç'avait été un peu ça et puis les choses avaient évolué... De toute façon, ça ne le regardait pas.

— Votre mécanicien a vu la voiture ?

— Nous n'offrons pas de service garage à Crystal Downs. Il ira quand il en aura le temps. Et prévoyez un délai de quelques jours car il faudra sûrement faire venir des pièces détachées de Kununurra. Votre petit ami n'avait pas pensé à ce détail, n'est-ce pas ? Il est vraiment doué pour utiliser les autres...

Liza lui jeta un regard furibond.

— Don est malade ! Dans son état, on ne peut pas penser à tout !

— Je connais des gens qui se débrouillent tout seuls dans les pires situations...

Si c'était une allusion à l'hospitalité qu'elle était forcée de lui demander, la délicatesse ne l'étouffait pas !

— Je ferai mon possible pour ne pas vous encombrer longtemps, assura-t-elle d'un ton distant.

— Louable intention. Malheureusement, je crains que vous ne soyez coincée ici un bon moment... Parlez-moi donc de ces parents que vous ne voulez pas qu'on prévienne.

— Ils sont morts.

Le voyant tressaillir, elle se reprocha sa brutalité. Il ne pouvait pas savoir...

— Je vis chez ma tante et mon oncle. Ils savent où je suis et avec qui.

— Ça m'étonnerait ! A moins qu'ils aient des espions à leur solde sur ma propriété, comment devineraient-ils que vous êtes dans cette chambre avec un homme... ?

Son regard dévia vers sa veste de pyjama. Le drap avait glissé et le fin tissu ne devait pas dissimuler grand-chose...

— Vous feriez mieux de me donner leurs coordonnées...

— Je vous remercie, mais je préfère les appeler moi-même quand la situation sera plus claire.

— Elle l'est ! Pendant que vous dormiez, j'ai

téléphoné à Kununurra. Don sera transporté à Darwin demain, l'état de son genou nécessite une opération. L'hospitalisation durera une dizaine de jours et ensuite, il devra marcher avec des béquilles. Ça vous suffit comme éclaircissements ?

Liza avait pâli... Don allait-il rester boiteux à vie ? Devrait-il abandonner le safari ?

Ryan eut un sourire ironique. C'était magique, cette façon qu'il avait de lire dans ses pensées...

— Rassurez-vous. Les béquilles, c'est juste pour la rééducation. Mais il faudra qu'il renonce à ses projets pour un certain temps. Dites-moi... quel métier avez-vous quitté pour l'accompagner ? Si vous en aviez un, bien sûr.

— J'étais secrétaire de direction, répliqua-t-elle, piquée au vif. Dans une société minière.

Rien ne l'obligeait à préciser que le directeur en question était son oncle, qu'une autre secrétaire se chargeait des affaires importantes et qu'elle-même passait le plus clair de son temps à soigner les plantes vertes et à faire du café... Quoi d'étonnant à ce qu'elle ait saisi la première occasion de s'échapper ?

— Et vous avez abandonné tout ça pour venir sous les tropiques ?

Ryan l'observait, à la fois curieux et intéressé, comme un médecin qui examine un cas particulièrement étonnant de folie douce. Liza réprima un éclat de rire.

— Comme vous le voyez !

— Je ne vais pas vous demander si votre famille approuve, la réponse s'impose d'elle-même. Il suffit d'un coup d'œil à ce pyjama froufroutant pour deviner ce qu'on vous a appris à attendre de la vie. Croyez-vous vraiment que vous pourrez concrétiser vos rêves à Darwin ? Ça ne me paraît pas l'endroit idéal pour une petite fille si bien élevée...

— A votre place, je n'en jurerais pas.

Qu'attendait-elle exactement de la vie ? A vrai dire, elle n'en savait rien. Malgré son éducation très protégée, elle ne plaçait pas l'argent et les apparences au-dessus de tout, peut-être parce que sa mère avait aimé l'aventure et s'y était lancée. En tout cas, elle aurait volontiers abandonné ses vêtements luxueux contre la promesse d'un amour sincère.

— Après tout, c'est votre affaire. Je vous laisse vous habiller. Rien ne presse. Nous ne dînerons pas avant que Belle soit couchée.

Il se dirigea vers la porte et avant de sortir, ajouta d'un ton ironique :

— Inutile de vous mettre sur votre trente et un. Ce n'est l'anniversaire de personne !

Vingt minutes plus tard, Liza se dirigeait vers la cuisine avec l'intention de donner un coup de main. Là, au moins, elle ne risquait pas de retrouver Ryan.

Mais dès qu'elle eut poussé la porte, il lui fallut déchanter. C'était lui qui s'occupait du dîner !

— Surprise, mademoiselle Stevens ? fit-il d'un air amusé en la voyant hésiter sur le seuil. Gene raconte une histoire à Belle pour l'endormir. Je vous avais dit qu'il n'y avait pas le feu...

Il semblait tellement à son affaire que toute aide devenait superflue. D'ailleurs, tout était prêt : une salade dans une grande coupe en verre et sur le plan de travail en stratifié ivoire, de superbes steaks attendant de passer au gril. La cuisine était

63

grande, avec un coin repas, des éléments en bois de pin et tout le confort moderne — congélateur et four à micro-ondes. Les fenêtres ouvraient sur une petite véranda protégée du soleil par des poivriers.

Tout en préparant une sauce vinaigrette, Ryan observait Liza. Elle portait une robe blanche serrée à la taille par une ceinture violette, assortie à de fines sandales de même couleur. Des boucles d'oreille en verre teinté pourpre complétaient cette toilette ravissante et décontractée.

— Vous trouvez ma robe... trop habillée ? s'inquiéta-t-elle.

Elle le fixait dans les yeux.

— Non. Mais vous êtes aussi dangereuse dans une cuisine que partout ailleurs. Et si vous continuez à me regarder comme ça, cette sauce ne sera jamais prête !

Il plaisantait, évidemment. Pourtant, le cœur de Liza battait à tout rompre. Il allait peut-être la prendre dans ses bras...

— Belle est couchée ! s'écria Gene en entrant. Ryan, tu prépares la vinaigrette comme personne. Tu ferais un mari merveilleux !

— Rien n'est moins sûr ! Qui te dit que je ne laisserais pas le tablier à ma femme pour me prélasser dans un fauteuil ? Tiens, sers donc un verre à notre invitée. Si mes souvenirs sont bons, son cocktail favori se compose de deux tiers de jus d'orange et d'un tiers de glaçons... Mais elle voudra peut-être quelque chose de plus corsé, ce soir ?

— Pour toi, un whisky, comme d'habitude. Liza, que diriez-vous d'un sherry ?

Il lui faudrait au moins ça pour supporter de dîner en face d'un homme qui d'un simple regard la mettait presque en transe.

Ryan disparut immédiatement après le dîner et Gene empila la vaisselle dans l'évier, avant de passer au salon.

— Les filles s'en occuperont demain matin. Dieu merci, je suis bien aidée pour la maison...

Le salon, avec ses meubles en rotin, ses rideaux de lin et ses luxuriantes plantes vertes, ouvrait sur la véranda par de grandes portes-fenêtres. C'était une pièce claire et confortable. Des aquarelles représentant des oiseaux exotiques ajoutaient une touche colorée à l'ensemble. Gene s'installa sur le sofa.

— Je suis navrée que Ryan se comporte en ours, fit-elle en repliant familièrement une jambe sous elle. Il est beaucoup plus sociable, en général. Il doit avoir des problèmes.

Liza n'avait pas grand-mal à deviner quel était le problème en question...

— Il est parti ce matin au camp — il y a un grand rassemblement de bétail, en ce moment — et il devait y rester plusieurs jours. Et puis, vous êtes arrivée...

— J'ai bien peur de vous déranger...

— Pas du tout ! Je suis si heureuse d'avoir de la compagnie ! Mais dites-moi, quand vous avez rencontré Ryan et Debra à Broome, est-ce qu'ils parlaient de leurs fiançailles ?

— Oh ! nous n'avons rien évoqué de très personnel, répondit Liza, un peu gênée. Il a surtout été question de perles...

Gene soupira.

— Quel dommage ! Je voudrais tellement savoir et Ryan déteste raconter sa vie ! Heureusement, nos deux jeunes frères sont plus ouverts. Quand ils fréquentent une demoiselle, ils n'en font pas un secret d'Etat! J'aimerais bien que Ryan se marie parce que je pourrais de nouveau habiter à Perth, où j'ai vécu avec mon époux... Ryan a dû vous dire...? Si je veux me remarier, ce n'est sûrement pas dans cette brousse que je trouverai l'homme qu'il me faut! Et impossible de laisser Ryan tout seul ici. Les femmes de ménage ne tiendraient pas une semaine!

— Il a déjà été marié, je crois... fit prudemment Liza, consciente de son indiscrétion.

Gene eut l'air surpris.

— Oui, en effet. Avec Christine. Ils étaient si jeunes, tous les deux... Ça n'a pas duré un an, une leucémie l'a emportée... Je crois qu'il ne s'en est jamais vraiment remis. C'est un tendre sous ses façons brusques. Emotionnellement, je suis bien plus solide que lui!

Ryan, un tendre? Liza ne pouvait le croire... Pourtant, tout à l'heure, avec Belle, il avait été d'une grande douceur, elle s'en souvenait...

— C'est curieux, reprit Gene, mais vous me rappelez un peu Christine. Oh! pas physiquement — elle était aussi blonde que vous êtes brune. Je ne sais pas très bien en quoi, mais vous avez quelque chose de semblable...

Liza eut un léger mouvement de recul. Si Ryan avait perçu cette ressemblance, cela n'expliquait-il pas son attitude ambiguë?

— C'est probablement mon imagination qui me joue des tours, conclut Gene en souriant. Pour en revenir à Ryan, j'ai l'impression qu'il va épouser Debra. Ils se connaissent depuis des années et à mon avis, elle lui conviendrait très bien. Nous en saurons bientôt davantage car elle doit venir sous peu. Elle aime beaucoup ce pays... Et vous, que pensez-vous de l'*outback*?

— Eh bien... je crois que je m'y plais!

Liza était parfaitement sincère. Elle avait l'impression d'avoir toujours vécu ici. Comme si un lien de parenté secret l'attachait à cette terre... Aussi folle que fût cette explication, c'était pourtant la seule car depuis qu'elle était là, elle n'avait eu que des ennuis.

— Ah? C'est curieux... Mais dites, j'espère que vous ne songez pas sérieusement à épouser votre macho d'ami au genou cassé! Il a un caractère détestable. Vous n'auriez jamais dû le laisser vous accuser ainsi pour l'accident!

Liza était cramoisie. Ainsi, Gene avait entendu tout ce que Don avait dit... Mais elle n'avait aucune envie de parler de Don. Gene comprit la signification de son silence et proposa avec diplomatie de regarder la télévision.

A la fin du programme, elles montèrent se coucher.

— Quand pourrai-je voir le mécanicien? s'enquit Liza sur le pas de sa porte.

— Il faudrait vous arranger avec Ryan pour ça. Charlie est son employé, vous comprenez.

Exactement ce qu'elle redoutait... Et quand pourrait-elle parler à Ryan? Demain, il serait sans doute reparti au camp pour le rassemblement du bétail et il risquait d'y rester plusieurs jours.

Elle se coucha et ne put s'endormir, obsédée par cette histoire de ressemblance. Ryan pensait-il à sa première femme, quand il la prenait dans ses bras? Il semblait lutter contre l'attirance qui le poussait vers elle en la soumettant à d'incessantes rebuffades. Se reprochait-il de la confondre avec le fantôme d'un amour disparu ?

Décidément, entre le problème insoluble que posait la voiture et sa folle inclination pour l'homme le plus séduisant — et le plus sauvage — du pays, l'avenir s'annonçait sombre...

Chapitre cinq

A six heures, en s'éveillant, Liza entendit des pas dans le couloir. Sûrement Ryan qui repartait pour le campement... Elle sauta du lit. Si elle voulait lui parler, c'était maintenant ou jamais ! Il fallait régler cette histoire de mécanicien au plus tôt si elle voulait partir rapidement pour Darwin. Oui, mais... désirait-elle vraiment partir ? Elle ne savait plus. Pourtant, il était inutile de rêver puisque Ryan était presque fiancé... Le mieux était de ne pas s'attarder au ranch. Et pour cela, il lui fallait harceler Ryan Langton jusqu'à ce qu'il décide d'envoyer son mécanicien réparer la voiture de Don.

Elle enfila un déshabillé vaporeux bleu hyacinthe et après un passage éclair à la salle de bains, se précipita à la cuisine.

Ryan était en train de se préparer un solide petit déjeuner — steak et œufs frits.

— Vous êtes bien matinale... J'espère que vous ne comptez pas venir au camp avec moi ? J'ai trop à faire pour vous servir de guide, surtout pendant que mes hommes travaillent !

Il ne perdait pas de temps pour faire donner l'artillerie... Liza contre-attaqua sans hésiter :

— Au moins, vous êtes franc ! N'ayez crainte,

monsieur Langton. Je n'ai pas l'intention de visiter quoi que ce soit en votre compagnie !

Il secoua la poêle pour détacher les œufs et lui lança un étrange coup d'œil.

— Que voulez-vous, alors ?

Il se tourna vers elle, laissant son regard glisser sur la mince silhouette et les courbes douces que révélait le léger déshabillé.

— Ne seriez-vous descendue que pour me permettre d'admirer votre tenue si suggestive ?

Liza se mordit les lèvres pour ne pas crier. Et elle avait cru qu'il l'attirait ? Quelle folie ! Gene pouvait parler du mauvais caractère de Don et de ses propos machistes, Ryan le battait largement sur ce terrain.

— Je voulais uniquement vous demander où je peux trouver votre mécanicien, fit-elle entre ses dents. Il m'a semblé logique de vous consulter avant votre départ.

— Vous auriez pu dormir une heure de plus. Charlie est au camp et il n'en reviendra pas avant un bon moment.

Ryan fit glisser le steak et les œufs dans une assiette, se servit une tasse de café et se mit tranquillement à table.

— Ne croyez surtout pas que je refuse de coopérer, mais vous savez, on ne peut rien faire avant d'avoir reçu ces pièces détachées. Je vais les commander. Il va falloir prendre votre mal en patience, elles n'arriveront pas avant quatre ou cinq jours...

Il la fixa intensément et Liza sentit cette étincelle d'électricité jaillir entre eux, comme chaque fois que leurs regards se croisaient. Même au moment où il lui parlait le plus rudement, il existait entre eux une attraction indéfinissable. Et Ryan en était tout aussi conscient qu'elle, elle le savait.

— Vous feriez mieux d'aller vous recoucher, fit-il en détournant brusquement les yeux. Et d'oublier la voiture de Don.

— Ça n'est pas possible !

Elle avait presque crié, pour l'obliger à la regarder encore. Elle le voulait de toutes ses forces et ce besoin fut soudain si vital qu'elle dut s'appuyer contre la porte, tremblante, les nerfs à vif. Des images folles se bousculaient dans sa tête : elle se voyait prenant le petit déjeuner avec lui, l'accompagnant au camp ou attendant son retour dans la véranda, montant avec lui dans leur chambre...

— Vous croyez que ça me plaît de rester ici ?

Il fallait dire quelque chose, n'importe quoi, pour chasser ces divagations.

— Ça n'a rien de drôle pour moi, alors que Don est à l'hôpital et que tous nos plans sont à l'eau. Je sais que ma présence vous est insupportable, mais...

— C'est vraiment ce que vous pensez ?

Sa bouche avait pris un pli amer.

— Je dois reconnaître que je ne vous aurais pas invitée si ma sœur n'avait insisté. Mais maintenant vous êtes là... Demandez à Gene de vous emmener en balade aujourd'hui, ça vous changera les idées. Il y a de très jolis coins dans la région... Crystal Pool, par exemple. Vous pourriez vous y baigner ?

— Je ne veux pas me promener ni me baigner ! Ce que je veux, c'est partir d'ici !

— Dans ce cas... comptez sur moi, assura-t-il d'un ton sec. Si nous entendons parler d'une voiture qui remonte vers Darwin, nous lui demanderons de vous prendre. Avec un peu de chance, vous serez partie avant que je ne rentre du camp. Ça vous va ?

— Oui.

— Parfait.

Une réponse qui ressemblait à un congé et Liza la prit ainsi. A peine était-elle sortie qu'il la rattrapait, l'obligeant brutalement à lui faire face. Ses yeux lancèrent un bref éclair et sans autre préambule, il l'embrassa.

— En guise d'au revoir, fit-il d'une voix rauque. Vous ne devriez pas, Liza...

Sa poigne d'acier commençait à lui faire mal.

— Je ne devrais pas... quoi ?

— Me tenter.

— Jamais je n'ai cherché à...

— Allons donc ! Vous vous promenez devant moi, jolie à croquer, en me fixant de ce regard velouté... Je n'ai jamais rencontré de fille aussi douée que vous pour déclencher les tornades.

Il la plaqua contre lui. Fermant les yeux, elle l'entendit gronder tout contre sa bouche :

— Si l'hélicoptère ne m'attendait pas, je vous porterais immédiatement dans un lit..

Il lui prit passionnément les lèvres. Elle tremblait de désir. Ryan brûlait du même feu. Elle voulait oublier tout le reste, tout ce qui n'était pas son corps contre le sien, sa bouche exigeante qu'elle désirait si ardemment satisfaire. Elle se moula contre lui, bouleversée par la chaleur de son corps musclé, par sa totale proximité ! Ils s'embrassèrent longuement, follement. Reprenant enfin son souffle, elle s'écarta un peu.

— Ryan...

Elle le regarda droit dans les yeux, ne dissimulant rien de ce qu'elle ressentait et il frémit devant tant de candeur.

— Ne nous laissons pas emporter, dit-il d'une voix qu'elle reconnut à peine. Et remerciez votre bonne étoile que ce soit bientôt l'heure où l'hélicoptère...

Il se tut, détacha les bras qui enlaçaient tendrement son cou, garda son regard captif une seconde... et se retournant brusquement, s'éloigna. Liza savait qu'elle agissait comme une folle mais elle le suivit jusqu'à la porte de la cuisine. Là, elle entendit des voix. Il n'était plus seul. Les jeunes filles qui s'occupaient du ménage venaient de commencer leur travail... Comme un automate, elle regagna sa chambre et se jeta sur le lit.

L'esprit vide, ne pouvant même pas pleurer, elle resta immobile pendant ce qui lui parut une éternité. Puis on frappa à sa porte. Ryan ? Non, une des domestiques, une jeune aborigène à la peau sombre et au sourire timide, qui lui apportait une tasse de thé.

— M. Ryan dit que ça vous fera du bien...

Liza remercia machinalement et la jeune fille se retira.

Du thé... Oui, elle en avait bien besoin, Ryan avait raison. Mais était-ce une attention délicate ou ironique de sa part ?

Mal remise de ses émotions, elle descendit pourtant prendre le petit déjeuner avec Gene et Belle. Heureusement, le babillage de l'enfant réduisait la conversation au minimum... Puis Gene les emmena chez Selma Gray, la femme de Charlie. Le mécanicien habitait avec sa famille un des bungalows qui entouraient le jardin. Ses trois enfants jouaient souvent avec Belle, surtout Josh, le plus petit. Sur le chemin du retour, les deux jeunes femmes entendirent le bourdonnement d'un hélicoptère. Ryan était parti...

Gene expliqua à Liza combien l'hélicoptère était utile pour le rassemblement du bétail, permettant de repérer les bêtes éloignées et d'avoir une vue d'ensemble de la situation. Le camp était tout près de Little Valley, l'endroit où Don et Liza avaient abandonné la voiture. Une idée germa alors dans l'esprit de la jeune fille. Si elle avait bien compris, le mécanicien se trouvait au camp, pas loin de Little Valley. De plus, on n'avait pas tous les jours l'occasion de voir un rassemblement de bétail... C'était le moment ou jamais ! Et elle en profiterait pour parler de la voiture à Charlie.

En réalité, elle savait fort bien que ce n'était qu'un prétexte pour revoir Ryan... Et il l'avait prévenue qu'il ne voulait pas d'elle là-bas ! Non, le plus sage était d'oublier cette idée.

Pourtant, après le déjeuner, quand Gene lui demanda ce qu'elle avait envie de faire cet après-midi, Liza répondit tout de suite qu'elle aurait aimé voir Charlie.

— Vous comprenez, je m'inquiète pour Don. Et je ne voudrais pas vous déranger trop longtemps... Si ce problème pouvait être réglé rapidement...

— Vous ne me dérangez pas, Liza ! Mais si vous y tenez, allons au camp ! Mettez-vous en tenue de brousse et n'oubliez pas vos lunettes de soleil ! Ce sera l'occasion de rencontrer David et Colin, mes plus jeunes frères. Ils passent toutes leurs nuits au camp, mais quand ils auront découvert qui est notre invitée, je ne serais pas étonnée qu'ils renoncent au charme de leurs vieilles tentes pour regagner le toit familial !

Une demi-heure plus tard, elles partaient, emmenant Belle. Liza avait fait ce qu'elle avait pu pour trouver une « tenue de brousse ». Le résultat n'était pas très convaincant. Elle avait pris ce qu'elle avait de moins sophistiqué, un pantalon cannelle et un haut sans manche, couleur citron vert.

L'immense prairie déroulait son tapis de hautes herbes autour d'elles. Gene roulait droit vers les montagnes violettes qui barraient l'horizon et Liza voyait sans cesse une large flaque d'eau brillante, constamment repoussée par l'avancée de la voiture... Un mirage dû au soleil. Le ciel était d'un bleu très clair, délavé. De place en place, un nuage s'effilochait paresseusement. Quand elles atteignirent le pied des montagnes, le paysage changea, soudain semblable à celui où s'était produit l'accident. Le terrain était plus sec, plus sablonneux, tailladé en profondeur par les creeks. Elles virent bientôt les premières bêtes, couchées à l'ombre des cajeputs.

— C'est oncle Ryan, maman ! cria Belle en entendant le vrombissement d'un hélicoptère.

« Oncle Ryan »... Il fallut à Liza un petit moment de réflexion pour se persuader que cet oncle était le Ryan qu'elle connaissait.

— C'est lui qui pilote ?

— Il a sa licence, répondit Gene. Mais la société qui loue les hélicos a ses propres pilotes. Aussi Ryan peut-il diriger tranquillement les opérations en gardant un contact radio avec ceux d'en bas. Quand toutes les bêtes sont parquées, on les marque et on met à part celles qui vont être vendues et qui seront emmenées par camion. En fait, je n'y connais pas grand-chose, avoua-t-elle en souriant. La vie du ranch ne m'intéresse pas tellement...

Au moment où elles atteignaient le camp, l'hélicoptère plongea vers les collines, chassant le bétail du côté de la plaine. Les cacatoès s'envolèrent à grand bruit. On entendait claquer les fouets et les chevaux soulevaient une poussière épaisse. La plupart des cow-boys étaient aborigènes, mais celui qui venait maintenant vers elles devait être un des frères Langton. Jeune, beau garçon, en pantalon de velours et chemise à carreaux, il les accueillit d'un grand sourire sous son chapeau à larges bords. Gene fit les présentations :

— David, mon plus jeune frère.

— Et le meilleur du lot ! fit-il avec un rire juvénile très gai.

Blond au teint clair, il ressemblait davantage à Gene qu'à Ryan.

— Vous êtes sûrement Liza Stevens, notre grande accidentée ! C'est moi qui ai vu votre signal de fumée ! Je voulais me précipiter mais le patron a été inflexible : le travail pour moi et le sauvetage pour lui ! J'espère que ma sœur vous a vanté mes nombreuses qualités et que vous n'êtes venue que pour me voir ? s'écria-t-il en la faisant rougir sous son regard direct.

Belle lui évita d'avoir à répondre en se précipitant vers son oncle. David s'accroupit pour l'embrasser et un sourire attendri illumina ses traits. Il parlait à la petite fille avec cette même tendresse qu'avait eue Ryan...

— Est-ce que Charlie est dans le coin ? s'enquit Liza.

— Je vous le trouve tout de suite ! affirma gentiment David. Tu viens, Gene ?

— Non merci ! Il y a suffisamment de poussière

ici sans que je me fatigue à aller en respirer plus loin !

— Ma chère sœur est une incorrigible paresseuse !

David entraîna Liza.

— Si j'avais su plus tôt à quoi ressemblait notre rescapée du désert, je n'aurais pas passé ces deux dernières nuits dehors ! déclara-t-il avec un regard admiratif. Mais ce soir, le mouton égaré rentre au bercail !

Il lui prit amicalement le bras et quelques minutes plus tard, il lui présentait Charlie. La quarantaine, grand et large, celui-ci inspectait le moteur d'une vieille voiture.

— Voici le meilleur mécanicien de toute l'Australie !

Belle les avait suivis et elle s'accrochait au pantalon de son oncle.

— Que vais-je bien pouvoir faire de ce petit diable ? dit-il en riant. Je vous laisse, le temps de raccompagner cette demoiselle auprès de sa maman. On se revoit tout à l'heure, Liza ?

— D'accord...

Elle sentait bien qu'au moindre encouragement, David ne la lâcherait plus d'une semelle. Cependant, si charmant qu'il fût, il n'était pas son genre... Elle expliqua la situation à Charlie :

— Ma voiture est restée en panne à Little Valley. Vous serait-il possible d'y faire un saut ? Je dois absolument repartir au plus vite pour Darwin...

— Montez, fit-il en ouvrant la portière de la vieille guimbarde. Je suis toujours prêt à rendre service aux dames ! On y va.

Heureusement que Ryan n'était pas témoin de

cette scène. Il aurait sûrement trouvé à Charlie un travail plus urgent à faire !

En passant devant Gene, garée à l'ombre, Liza agita la main.

— Vous êtes formidable de vous donner tout ce mal, Charlie. J'espère que vous n'aurez pas d'ennuis à cause de moi...

— Des ennuis ? Jamais de la vie ! Le patron m'a dit de m'occuper de votre voiture le plus vite possible. J'allais justement y aller mais le moteur de ce tacot s'est mis à tousser. Ça m'a retardé.

Liza poussa un soupir de soulagement en apprenant qu'elle ne faisait rien en cachette de Ryan.

Lorsqu'ils arrivèrent à Little Valley, elle reconnut à peine l'endroit, comme s'il y avait des années que l'accident s'était produit.

Charlie se glissa sous la voiture. Quand il en ressortit, un moment plus tard, il n'avait vraiment pas l'air optimiste.

— Je ne peux rien faire ici. Il va falloir emmener la voiture jusqu'à la propriété et attendre les pièces détachées.

Ainsi, elle ne partirait pas demain... Au fond, elle préférait ça. Elle savait que désormais quitter Crystal Downs... et Ryan, serait un déchirement pour elle. Il passait son temps à la bousculer mais ça lui était égal. Il l'attirait d'une manière irrésistible et rien d'autre ne comptait. Où cela la mènerait-il ? Elle l'ignorait et s'en souciait peu car elle était comme le marin qui, attiré par le chant voluptueux des sirènes, court ardemment à sa perte. Elle ne put s'empêcher de sourire quand cette comparaison lui vint à l'esprit. Le charme de Ryan avait sur elle de bien curieux effets...

Ils repartirent pour le camp. Là, les voyant

arriver, David, maintenant à cheval, galopa vers eux, soulevant un nuage de poussière que le soleil couchant teintait de rose.

— Gene est rentrée à la maison, annonça-t-il. Belle commençait à s'énerver avec tout ce bruit et toutes ces bêtes... Mais ne vous en faites pas, je vous raccompagne dans cinq minutes.

— J'espère que ça ne vous dérange pas ?

Elle jeta un coup d'œil alentour. Aucune trace de Ryan... Elle aurait tant voulu repartir avec lui ou seulement l'apercevoir...

— Liza, lui disait David, c'est un plaisir d'être dérangé par une aussi jolie femme... Mais voilà mon frère ! Vous ne le connaissez pas, je crois... ?

Un grand blond s'approchait en souriant.

— Colin, je te présente Liza Stevens, mais n'oublie pas que c'est moi qui l'ai vue en premier ! Ne vous laissez pas impressionner par ses boniments, Liza. Il est fiancé à Katherine et tout porte à croire qu'on va bientôt parler mariage.

— Bonjour ! fit Colin en lui serrant la main. Dommage que je ne puisse pas m'occuper de plus d'une fille à la fois. Sinon, ce cher David ferait bien de vous surveiller de près ! Vous vous plaisez à Crystal Downs ?

— Beaucoup ! Enfin, je n'ai pas encore eu le temps de découvrir le ranch...

— Dès que le bétail sera vendu, nous aurons le temps de vous le faire visiter.

Oui, si elle était encore à Crystal Downs... Les deux frères de Ryan se ressemblaient, aussi sympathiques l'un que l'autre, faciles à vivre et toujours de bonne humeur. Pourquoi fallait-il qu'elle soit fascinée par le troisième, le seul qui ait un cœur de pierre et un pouvoir de séduction à rendre folles les femmes les plus résolument sages ?

Brusquement attirée par une force mystérieuse, elle jeta un coup d'œil par-dessus son épaule. Ryan approchait, plus séduisant que jamais dans la lumière irréelle du soleil couchant. Liza frissonna.

— Vous êtes toujours là ? commença-t-il. Vous n'avez tout de même pas décidé de passer la nuit au camp ?

Il la toisait avec un apparent mépris, mais elle percevait autre chose dans l'expression indéfinissable de ses yeux bleus. Ce regard-là était celui qu'un homme pose sur une femme quand il la désire violemment. Elle sentit ses jambes faiblir et mit ses lunettes de soleil, comme pour se protéger de lui.

— Du calme, Ryan ! intervint David. Il n'y aura pas d'émeute au camp ce soir, parce que je raccompagne Liza à la maison !

— Raccompagner Liza ? Sûrement pas ! Tu restes ici pour diriger les opérations demain matin. L'hélicoptère arrive à l'aube... Il est temps que tu te familiarises avec ce type de travail.

Elle surprit le regard résigné qu'échangèrent David et Colin. Il n'était visiblement pas question de discuter les instructions du patron.

— Attendez-moi ici, dit Ryan à Liza avant de s'éloigner.

Elle sourit à David.

— Désolée...

— Pas tant que moi ! répondit-il avec une moue de dépit. Je vous ai pourtant vue le premier... Surtout, ne faites pas de bêtises avant mon retour !

Il lui fit un clin d'œil malicieux et suivit Colin. Restée seule, Liza s'adossa à un arbre en attendant Ryan. Le travail avait cessé dans le camp et la poussière retombait lentement sur le sol. Une odeur de cuisine flottait dans l'air : on préparait le repas pour les hommes... Ils allaient sans doute se rafraîchir avant de dîner puis ils se rouleraient dans leurs couvertures jusqu'à demain où dès les premières lueurs du jour, les lieux reprendraient vie. C'était un univers exclusivement masculin et rien n'aurait pu la persuader de passer la nuit ici. A moins... à moins qu'elle n'ait été la femme d'un des frères Langton. Pourquoi ce genre d'idée lui traversait-il l'esprit ? C'était stupide. Pourtant, elle n'arrivait pas à la repousser complètement, cette idée-là...

David semblait le seul Langton disponible et Ryan n'encourageait manifestement pas l'intérêt qu'il portait à Liza. Ryan... Qu'il la regarde, qu'il l'effleure et le monde basculait. Mais lui, quels étaient ses sentiments ? Mystère.

— Venez, Liza.

Brusquement, il était à ses côtés... Il lui prit fermement le bras et elle réagit immédiatement de tout son être. C'était effrayant et elle n'y pouvait rien. Elle dégagea vivement son bras.

— Je croyais que vous deviez passer plusieurs nuits au camp ?

— C'était prévu, en effet.

— Pourquoi avoir modifié vos plans ?

Il ne répondit pas tout de suite.

— Je ne sais quelle réponse vous espériez, Liza, mais la raison en est très simple : il faut bien qu'on vous raccompagne et je suis le seul disponible. Et si je vous demandais pourquoi vous n'êtes pas rentrée avec Gene.

Pourquoi ? Mais parce que Gene était partie sans elle, tout simplement ! Comment le dire sans avoir l'air de le lui reprocher ?

— Oh! J'ai pensé qu'il y aurait toujours quelqu'un pour me ramener... fit-elle d'un ton détaché.

— Et vous avez eu raison. David vous aurait emmenée jusqu'à Darwin, pour peu que vous lui ayez demandé gentiment! L'amour naît vite dans l'*outback*, sans prévenir. Comme la nuit. Si vous jetiez votre dévolu sur mon jeune frère, il serait aussitôt à vos pieds.

— Je ne jette mon dévolu sur personne! Je ne suis venue que pour voir Charlie!

— Vous ne pouviez pas me faire confiance, évidemment! Vous êtes satisfaite?

— Plus ou moins.

Il y eut un silence tendu. L'irritation de Ryan assombrissait l'atmosphère et soudain Liza se dit que cette colère sourde ne dissimulait rien de mystérieux. Il était furieux, voilà tout. Il l'avait excitée, troublée. Maintenant, ça ne l'amusait plus et elle n'était plus qu'une invitée encombrante pour lui.

Chapitre six

Ryan avait raison, la nuit tombait vite dans l'*outback*. Etoilée, fantastique... Liza se sentait toute petite devant cette immensité obscure et sauvage, peuplée d'ombres étranges. A la lumière des phares, elle reconnaissait des chauves-souris à leur vol rapide et saccadé, une termitière ou le tronc blafard d'un gommier, aussitôt avalés par la nuit. Tout prenait une dimension insolite et bizarrement, elle n'était pas inquiète. Malgré la présence troublante de Ryan, elle commençait même à se détendre un peu.

Ici, elle était à sa place. Et ici, cela voulait aussi dire à côté de lui... Il interrompit brusquement sa rêverie, et expliqua d'une voix posée :

— Vous m'avez peut-être trouvé brutal avec David, tout à l'heure ? Il est temps qu'il prenne quelques responsabilités. Je dirige ce ranch tout seul depuis la mort de notre père, il y a onze ans. J'avais alors l'âge de David... J'ai été un peu trop coulant avec mes frères. Il faut bien qu'ils apprennent la vie.

Oui, elle avait été choquée par sa brusquerie, sur le moment. Et puis elle avait oublié tout de suite, ne songeant qu'à ses chances de rentrer avec lui plutôt qu'avec David.

— Si David vous avait raccompagnée, je sais très bien qu'il ne serait pas retourné au camp demain, reprenait-il. Il est pressé de trouver une femme. Eh bien, il n'a qu'à chercher pendant ses heures de loisir... Que vous a dit Charlie pour la voiture ?

— C'est bien le carter.... Il m'a promis de réparer le plus vite possible.

— Vous avez hâte de partir pour Darwin, n'est-ce pas ?

— Bien sûr.

Elle lui lança un rapide coup d'œil. Sa réponse le laissait apparemment de glace... Il freina si subitement que Liza faillit heurter le pare-brise. Mais déjà elle était dans ses bras et il prenait sa bouche. Elle lui rendit passionnément son baiser, s'abandonnant à la douceur de sa langue, aux sensations grisantes qu'il éveillait en elle. Elle fondait sous ses caresses...

Brusquement, il s'écarta d'elle.

— Qu'est-ce qui m'a pris ? murmura-t-il. Pourquoi ai-je décidé de vous raccompagner ? J'aurais mieux fait de laisser ce soin à mon frère...

— Pourquoi ne pas l'avoir fait, alors ? fit-elle d'une voix qui tremblait encore. Vous n'avez pas confiance en lui ?

— En lui, si. Mais en vous...

Comment aurait-il pu savoir qu'elle ne perdait la tête qu'avec lui ? Il croyait peut-être qu'elle agissait ainsi avec tous les hommes... Or, ils la laissaient tous indifférente, il n'y avait que Ryan pour elle et ce qu'elle désirait le plus au monde à cet instant c'était qu'il continue à la caresser.

Mais il démarra et conduisit à tombeau ouvert jusqu'à ce qu'ils aperçoivent les lumières de la maison.

Gene vint les accueillir.

— Oh! c'est toi, Ryan! J'avais demandé à David de ramener Liza...

— Alors, c'était une idée de toi? s'écria-t-il en faisant violemment claquer la portière. David a mieux à faire que de jouer les taxis! Tu ne te rends pas compte, Gene, mais il y a vraiment des moments où tu te mêles de tout sans réfléchir aux conséquences! Le rassemblement du bétail mobilise toutes les énergies et tu distrais un des hommes au plus fort du travail! Même dans une exploitation familiale, il est bon de demander leur avis aux autres avant de prendre une décision!

Là-dessus, il grimpa les marches de la véranda, sans plus se soucier de Liza.

— Enfin, Ryan, ne sois pas si intransigeant! Le bruit fatiguait Belle, il fallait bien que je la ramène. Je t'aurais renvoyé David si sa présence au camp est tellement indispensable! Je ne comprendrai jamais ta façon de voir les choses, ni pourquoi vous persistez à dormir dehors alors que la maison est si proche. Vous vivez comme des sauvages.

— C'est comme ça que j'aime vivre, Gene. En sauvage. J'espère au moins que tu ne m'as pas laissé le dîner à préparer.

— Tu le mériterais! répliqua-t-elle. Il y a un rôti au four...

— Parfait. Le sauvage va aller se civiliser un peu sous la douche.

— Quel frère! soupira Gene quand elle fut seule avec Liza. Vivement qu'il se marie. C'est vrai qu'il se conduit en sauvage! Debra redresserait la situation, elle... C'est une fille raisonnable, décidée, exactement ce qu'il lui faut!

Très ennuyée d'être à l'origine de cette dispute,

Liza ne comprenait pourtant pas bien pourquoi Gene ne l'avait pas attendue... Voulait-elle aider David à trouver une épouse ? Dans ce cas, elle avait perdu son temps. Liza n'était pas candidate.

Lorsqu'elle descendit, le lendemain matin, Liza fut étonnée de trouver Ryan assis devant un bol de café, les cheveux encore humides, en jean et chemise à col ouvert... Que signifiait cette tenue ? Est-ce qu'il ne comptait pas retourner au camp ? Elle s'assit discrètement et lui adressa un petit sourire timide.

— Je vous croyais au camp...

— Non, je reste. J'ai décidé de laisser le champ libre à mes frères. Il y a toujours de quoi faire ici, à commencer par le sauvetage des voyageurs en détresse ! J'ai appelé Kununurra pour commander les pièces détachées. Charlie se mettra au travail dès qu'elles arriveront. Je m'arrangerai pour le libérer.

— Merci. Je vous rembourserai le coup de téléphone et je réglerai votre mécanicien, bien sûr.

Ryan lui lança un coup d'œil oblique.

— Mon mécanicien n'est pas à louer, mademoiselle Stevens. Il travaille pour moi et c'est moi qui le paie. Vous comprenez ? Sachez aussi que vous ne partirez pas seule pour Darwin. Je vous ferai accompagner.

Liza sentit la colère l'envahir. Comme il pouvait être autoritaire ! Parfois, elle le détestait.

— Je ne sais pas quelle opinion vous avez de moi, mais je vous assure que je peux très bien conduire cette voiture jusqu'à Darwin toute seule !

Il la regarda d'un air moqueur.

— Mon opinion sur vous n'a rien à voir là-dedans. Je me conforme simplement à celle de votre petit ami. Il vous connaît sûrement mieux que moi... Au fait, j'ai eu de ses nouvelles par radio. Il va mieux et il vous envoie un message. Pas très intime mais plein de bon sens : *Ralentis en traversant les creeks et attention aux chemins qui ne mènent nulle part.* Judicieux, non ?

Liza rougit, consciente du double sens qu'il donnait à la dernière partie du message. Bien sûr, cette histoire ne la menait nulle part mais Ryan n'avait-il pas sa part de responsabilité ? Comme Don, voilà qu'il cherchait à la rendre coupable de tout... Oh ! elle le haïssait !

— Qu'aimeriez-vous faire, aujourd'hui ? demanda-t-il, plus aimable tout à coup.

Trop tard. Liza lui répliqua sèchement :

— Ne vous souciez pas de moi ! Je ne veux pas être un fardeau pour vous.

Il se leva, haussa un sourcil amusé et s'étira, faisant jouer les muscles de son torse.

— Ah non ? Eh bien ! que vous le vouliez ou non, vous en êtes un, Liza Stevens. Un sacré fardeau...

Et il tourna les talons, la laissant seule. Qui était-il donc pour la plonger dans un tel désarroi ? Elle ne savait plus du tout où elle en était. Dès qu'il apparaissait, tout basculait et elle ne savait à quoi se raccrocher...

Liza ne revit pas Ryan de la journée. Elle passa son temps à jouer avec Belle et à bavarder avec Gene. Elle observa aussi Selma Gray lorsque celle-ci vint faire le pain dans le grand four de la cuisine. Elle fut très intéressée par le déroulement des opérations. Si elle vivait ici, elle ferait son pain elle-même. Encore une idée stupide ! Vivrait-elle jamais ici ?

Elle finit par s'ennuyer. Attendre l'arrivée de ces pièces détachées sans rien faire lui pesait. Ayant tenté sans succès de décider Gene à tracter la voiture jusqu'à la propriété, histoire de faire avancer les choses, elle alla faire un tour du côté des bungalows où logeaient les employés de Ryan. C'était presque un village, avec sa petite école où les enfants aborigènes prenaient leurs premières leçons. Elle visita aussi les écuries, tentée par une balade à cheval et n'osant seller un animal sans l'autorisation de Ryan.

Il ne réapparut qu'au dîner. Gene avait la migraine et le repas se déroula dans un silence pesant. A la fin, il annonça l'arrivée prochaine de Debra Davis, accompagnée d'une de ses amies.

— De l'âge de David, précisa-t-il en jetant un coup d'œil rapide à Liza. Et vous, les filles, qu'avez-vous fait aujourd'hui ?

— Liza s'est enthousiasmée pour la fabrication du pain, fit Gene d'un ton las. On a arrosé le jardin... Tu vois, elle a eu une journée passionnante !

— Ce ranch n'est pas un complexe touristique, déclara froidement Ryan.

Liza tenta de lui lancer un regard glacial sans y parvenir : sous son œil bleu, la glace fondait comme neige au soleil... Elle baissa les yeux, épouvantée. Où la conduirait un tel désir ?

Après dîner, Ryan se retira dans son bureau, Gene monta se coucher et Liza se retrouva seule. Elle essaya de s'intéresser au programme de télévision, mais son esprit était ailleurs. Bientôt, elle serait à Darwin, elle apprendrait un autre métier... Devenir accompagnatrice de safaris l'excitait beaucoup moins qu'avant. Ça lui paraissait tout à coup irréel et futile. Elle éteignit la télévision et sortit.

Dans la véranda, elle s'accouda à la rambarde et ferma les yeux un instant, respirant les parfums qui montaient du jardin. Il y avait tant de fleurs ici ! Comme tout était beau... Et calme. Levant la tête, elle admira la Voie lactée, arche d'étoiles qui s'élançait dans le ciel. Puis elle chercha la Croix du Sud. Cette immensité et ce silence l'apaisaient. Emerveillée, elle se sentait étrangement heureuse. Oui, c'était bien ici qu'elle aurait aimé vivre...

Pas à Crystal Downs non... mais dans cette région. Et surtout pas à Perth où l'on était trop pressé pour admirer la beauté d'un paysage, où l'on négligeait ce qui comptait vraiment... Comment Gene pouvait-elle regretter Perth ?

Un bruit de pas interrompit sa méditation. C'était Ryan...

— Où est Gene ? demanda-t-il.

— Elle est montée se coucher... J'ai un peu regardé la télévision mais il y a bien plus à voir ici.

— Ah ! oui... la nuit, les étoiles ! Très romantique.

Il s'était approché et le corps de Liza réagit trop vite et trop fort, comme d'habitude.

— Je... je crois que je vais monter, moi aussi.

Il ne dit rien, elle ne bougea pas. Elle savait ce qu'elle attendait, se méprisant d'être incapable de partir.

— Alors ! vous allez vous coucher ? Qu'est-ce qui vous retient ?

— Rien... rien, souffla-t-elle. Bonsoir.

Elle se détourna immédiatement, craignant de perdre son faible courage si elle restait là une seconde de plus. Ryan la saisit par le bras.

— Vous attendiez que je vous embrasse pour vous souhaiter bonne nuit, n'est-ce pas ?

Sa voix était si rauque qu'elle frissonna.

— Pas du tout ! Je vous croyais dans votre bureau, je ne vous attendais pas !

— Mais je suis venu...

Les doigts de Ryan lui serraient le bras à lui faire mal. Elle se dégagea vivement et dit d'une voix saccadée :

— Vous ne supportez plus ma présence ici, je le sais... mais laissez-moi tranquille ! Je partirai dès que ce sera possible... Je vous en prie, ne vous acharnez pas sur moi !

Et elle courut se réfugier dans sa chambre, pleine de colère et de désespoir à la fois. Que penser de Ryan ? d'elle-même ? Elle ne savait plus rien, sinon que cette attirance mutuelle était très dangereuse — du moins pour elle.

Les deux jours suivants, Ryan disparut immédiatement après le déjeuner. Liza ignorait où il allait et ne cherchait pas à le savoir. Elle fit du pain, promena Belle et son petit copain Josh et veilla à ne jamais rencontrer Ryan. Surtout pas le soir...

Le troisième jour, dans la matinée, Ryan proposa aimablement d'emmener tout le monde pique-niquer à Crystal Pool. Il y avait là-bas un important point d'eau et si Liza voulait se baigner... D'abord stupéfaite qu'il prenne une telle initiative, Liza fut très vite enthousiaste. On allait bouger un peu ! Toute joyeuse, elle aida Gene à préparer le repas froid, pendant que Belle allait chercher Josh. Finalement, ils s'installèrent dans la Land-Rover,

Gene à l'arrière avec les enfants, Liza à côté de Ryan, mais gardant prudemment ses distances.

Ils roulèrent un bon moment avant d'atteindre les gorges où se cachait le point d'eau. L'endroit était enchanteur : baobabs, acacias et cajeputs étendaient leur ombre violette sur la terre rouge parsemée de touffes de petites fleurs jaunes et bleues. Autour de l'eau, les falaises d'une étonnante couleur orangée se dressaient comme des murailles protectrices.

— A la saison des pluies, on peut voir une cascade tomber de cette falaise, expliqua Ryan. Mais à la saison sèche, il ne reste que le point d'eau. Ça vous plaît ?

C'était merveilleux ! L'eau vert jade était si claire qu'on voyait le sable et les galets ronds et lisses du fond. Des libellules sillonnaient la surface, s'arrêtant parfois sur un nénuphar. L'air était doux, l'atmosphère sereine. Liza respira profondément, éblouie par les trésors cachés de cette terre qu'on disait impitoyable.

Ils étendirent une couverture au bord de l'eau et déjeunèrent à l'ombre d'un grand cajeput. Ryan décida ensuite d'emmener les enfants en promenade.

— Si vous alliez avec eux, Liza ? demanda Gene lorsqu'elles eurent rangé les restes du pique-nique. Moi, je préfère lire tranquillement.

Liza hésita. Courir après Ryan, c'était risquer des réflexions méprisantes, comme l'autre soir, dans la véranda... Elle prit donc la direction carrément opposée, admirant au passage les fleurs rouges des hakéas et les boules d'or des mimosas au parfum entêtant, arrachant un bout d'écorce au tronc d'un vieux cajeput. De l'écorce si douce que Liza comprit pourquoi les femmes aborigènes s'en servaient pour doubler les porte-bébés.

Elle s'arrêta au bord de l'eau, fascinée par le manège incessant des libellules. Trois oiseaux gris, la tête ornée d'une haute crête, s'avançaient vers le rivage, la queue déployée en éventail.

— Ce sont des tourterelles huppées, fit la voix de Ryan à deux pas derrière elle.

Déjà de retour ? Elle se retourna pour lui faire un petit sourire rapide et aperçut les enfants en train de jouer là-bas, sous la surveillance de Gene.

— Et plus loin, entre ces deux rochers... reprit-il, c'est un oiseau des charmilles, ainsi nommé parce qu'il construit une sorte de tonnelle pour s'abriter. J'en ai repéré une, en revenant avec les enfants. Vous voulez la voir ?

Il l'entraîna près d'un mimosa, pas très loin. Faite de branches savamment entrelacées, haute de trente centimètres environ, la tonnelle semblait délibérément ornée de coquillages, d'éclats de quartz, de morceaux de verre et de petits bouts d'os polis par le temps... Liza, émerveillée par ce palais miniature, interrogea Ryan du regard.

— Il aime décorer son refuge, lui expliqua-t-il tout bas. Ce n'est pas un nid mais l'endroit où il fait sa cour. Lorsqu'il a réussi à y attirer une femelle, c'est là qu'il se livre à sa parade nuptiale et là que l'accouplement a lieu. Ensuite, elle bâtit un nid et lui revient à sa tonnelle. Toute comparaison avec nous autres humains serait déplacée ! ajouta-t-il en souriant. Si nous revenons plus tard, peut-être le trouverons-nous en train de disposer ses trésors différemment... En attendant, si nous allions nager ?

Liza courut chercher son sac et disparut derrière

les arbres pour mettre son minuscule bikini en tissu imprimé d'un motif fleuri rose et brun. Quand elle ressortit en terrain découvert, Ryan avait déjà plongé. Il nageait avec souplesse et assurance vers la rive opposée, au pied de la falaise, là où il y avait plus de fond. Liza glissa dans l'eau tiède. Elle se laissa flotter un moment, dérivant lentement au gré du léger courant puis elle se mit à nager et perdit bientôt Gene et les enfants de vue. En reprenant pied sur la rive, Ryan fit quelques pas, se retourna en passant une main dans ses cheveux mouillés et voyant Liza s'approcher, il l'attendit.

Elle aborda la rive à son tour et entreprit de le rejoindre sans glisser sur les galets. Mais en arrivant à sa hauteur, elle trébucha et n'eut que le temps de se raccrocher à lui en riant. Presque aussitôt, elle se rendit compte qu'elle était à peu près nue dans ses bras et s'arrêta de rire.

Déjà, il l'enlaçait, écrasant sa bouche sur la sienne. La main de Ryan s'égarait fiévreusement sur le corps de Liza, au creux de ses reins, remontait lentement jusqu'à ses seins, à peine dissimulés par le haut du bikini... Et elle s'abandonnait au flot de passion qui la submergeait.

Brusquement, il la souleva de terre et avant d'avoir compris ce qui lui arrivait, elle se retrouva allongée sur le sable, à l'ombre d'un cajeput. Pas un instant elle ne songea à protester. Leurs jambes se mêlèrent et elle lui rendit ses caresses avec une ardeur passionnée. Elle n'avait jamais connu une étreinte plus bouleversante, partagée qu'elle était entre le plaisir et l'effroi : plaisir de sentir les cuisses musclées de Ryan contre les siennes, effroi de savoir ce qu'il voulait d'elle... et de le souhaiter aussi. Elle naissait à la sensualité et la force de son désir balayait toutes ses inhibitions.

La chaleur, le bruissement des feuilles, le cri rauque des cacatoès lui semblaient faire partie des mille sensations que Ryan éveillait en elle. Elle entrouvrit les lèvres à la pression de sa langue et leurs corps presque nus s'unirent l'un à l'autre tandis qu'il explorait longuement sa bouche.

Longtemps, longtemps après, il releva la tête. Silencieux, ils se regardèrent avec une sorte de gravité. Liza ne bougeait pas, toute au contact de sa peau contre la sienne, au poids de son corps vibrant de vie sur elle. Et en le fixant ainsi, il lui semblait qu'elle touchait son cœur et découvrait dans son regard celui qu'il était vraiment.

Cette lente exploration qu'ils faisaient l'un de l'autre était pour chacun une révélation, pas de leurs corps ni de leurs sens bien que le désir y participât, mais de leurs âmes. Ils atteignaient le mystère même de la vie et de l'amour, de la connaissance de l'autre...

Il ne l'embrassa plus, se redressa lentement et resta là, tout près, accroupi sur ses talons à la regarder de ses yeux d'un bleu lumineux. Il suivit les contours de son corps ravissant, les rondeurs de sa poitrine, la ligne longue de ses jambes... Et au lieu d'être embarrassée par ce regard, Liza n'éprouvait qu'un intense plaisir... Il lui tendit la main pour l'aider à se lever et, sans un mot, ils se dirigèrent vers la rive, plongèrent et se mirent à nager côte à côte. Bientôt, ils entendirent les cris joyeux des enfants. Ryan sourit tendrement à Liza lorsqu'ils sortirent ensemble de l'eau.

— Je vais me rhabiller... murmura-t-elle.

Encore éblouie par ces instants de pur bonheur,

elle le laissa rejoindre Gene et retrouva ses vêtements derrière les arbres.

Le reste de la journée se déroula pour Liza dans
une atmosphère de rêve. Elle entendait à peine ce
qu'on lui disait, répondait distraitement. Elle était
ailleurs. Tout lui semblait irréel. Ryan et les
enfants firent du feu et préparèrent du thé. Après
le goûter, ils s'installèrent de nouveau dans la
voiture et prirent le chemin du retour. Cette fois
encore, Liza avait pris place aux côtés de Ryan. A
une ou deux reprises, leurs genoux se frôlèrent. Elle
lui jeta de fréquents et rapides coups d'œil mais il
fixa la route sans prononcer une seule parole
jusqu'à leur arrivée au ranch.

— Cette promenade vous a plu ? lui demanda-t-il
alors en la regardant avec une émotion contenue.

— Beaucoup, souffla-t-elle.

Il lui sourit, tendre et malicieux.

Chapitre sept

Couchée, les yeux ouverts dans le noir, Liza ne pouvait dormir. Cette étreinte au bord de l'eau lui avait ouvert la porte d'un monde inconnu qui lui avait laissé un goût de paradis. Une découverte dont elle ne gardait aucune culpabilité. Tout avait été si naturel entre eux, si évident...

Ryan s'était retiré tout de suite après le dîner.

— Il est préoccupé par cette vente de bétail, avait précisé Gene en étouffant un bâillement. Demain, ce sera terminé. Je suis contente de revoir enfin les garçons... La maison a bien besoin d'un peu d'animation ! Et dans deux jours, Debra et son amie seront là...

Et maintenant, allongée dans son lit, Liza avait le cœur serré à l'idée que Debra allait arriver. Gene la considérait comme la future épouse de son frère... mais elle ignorait ce qui était arrivé à Crystal Pool entre Liza et Ryan, aujourd'hui.

Brusquement, elle s'assit dans son lit. On venait de frapper à la porte... et une haute silhouette se glissait dans la chambre. Ryan... en pantalon blanc, torse nu.

— Liza ? Vous êtes réveillée ?

Elle sentit le lit s'affaisser légèrement sous son poids.

— Je me suis douté que vous aviez du mal à vous endormir, fit-il tout bas. Il ne faut pas vous croire coupable pour cet après-midi. Il ne s'est rien passé...

Elle écoutait, incrédule... Etait-il vraiment venu pour lui dire une chose pareille ? Croyait-il réellement qu'il ne s'était « rien passé »... alors que l'événement extraordinaire qui s'était produit avait ébranlé son univers, transformé sa vie ? Etait-il possible qu'il l'ait ressenti autrement ?

— Vous m'entendez, Liza ?

Au bord des larmes, elle put seulement hocher la tête.

Debra allait arriver... Voilà pourquoi Ryan voulait s'assurer que Liza ne se perdait pas dans des rêves fous... Elle se laissa retomber en arrière, sur l'oreiller et s'enfouit le visage au creux de son bras.

— Ne vous inquiétez pas, murmura-t-elle. Je n'y pense déjà plus. Ça ne compte pas...

— Non, ça ne compte pas, répéta-t-il après un long silence. Vous savez, je ne suis pas fier de moi... ajouta-t-il toujours à voix basse mais avec une espèce de sauvagerie. Vous caresser de cette manière et puis... Je voudrais avoir su me contrôler, mais vous en aviez tellement envie...

Des larmes amères commencèrent à couler sur les joues de Liza. Elle était blessée, furieuse. Et trop malheureuse.

— Vous voulez dire que tout est de ma faute ?

— Pas entièrement, non.

Il se leva.

— N'en parlons plus... Bonsoir.

Il traversa silencieusement la chambre et disparut. Aussitôt, elle éclata en sanglots. Oublier ?

Jamais elle ne le pourrait ! Elle avait menti pour sauver sa fierté mais cet après-midi était le plus important de sa vie et elle savait pourquoi maintenant : parce qu'elle était désespérément amoureuse de Ryan Langton...

Que deviendrait-elle si Charlie ne réparait pas la voiture très vite ? Elle ne supporterait pas longtemps de risquer de voir Ryan à chaque instant, surtout pas quand Debra serait là. Ce serait alors un supplice insoutenable. Partir vite, très vite — voilà tout ce qu'elle désirait.

Le lendemain matin, elle crut que le miracle avait eu lieu, en voyant par la fenêtre, la voiture de Don. Charlie l'avait amenée ici parce que les pièces étaient arrivées. Il pouvait enfin la réparer et elle, Liza, était sauvée...

Elle s'habilla fébrilement, ne perdit pas de temps à se maquiller et fonça à la cuisine. Elle y trouva Gene qui faisait déjeuner Belle.

— Où est Charlie ? s'écria Liza.

La sœur de Ryan la regarda avec étonnement.

— Mais... il est parti il y a une heure pour Kununurra.

— Ah ! il est allé chercher les pièces détachées ?

— Non... Son père vient d'avoir une attaque. Les médecins ne lui donnent plus que quelques jours à vivre et il a rejoint sa mère au plus vite.

— Oh ! je suis désolée...

— Et moi qui croyais que vous vous plaisiez ici... Enfin, rassurez-vous, Charlie ramènera quand même les pièces et dès son retour, vous pourrez partir.

Liza répondit par un petit sourire navré. Son départ encore repoussé, elle ne pourrait éviter de revoir Ryan et de souffrir le martyre...

— Les garçons reviennent ce soir, ajouta Gene gentiment. Vous vous ennuierez moins quand ils seront là, vous verrez.

Peut-être, en effet, arriverait-elle à s'étourdir grâce à eux ?

Le retour des garçons mobilisa toutes les énergies jusqu'au soir et peu à peu, Liza se laissa gagner malgré elle par l'enthousiasme ambiant. Le soleil couchant faisait flamboyer le ciel lorsque le bruit des voitures retentit dans l'allée. David et Colin rentraient à la maison, avec Ryan bien sûr. Gene se précipita dans la véranda, suivie de Liza.

La lumière des phares balayant les arbres, un coup de klaxon, le crissement du gravier sous les pneus... ils étaient là ! Les portières claquaient et les hommes apparaissaient, couverts de poussière. Liza eut un frisson d'excitation, comme si elle avait appartenu à cette famille, et que ces retrouvailles chaleureuses avaient fait partie de sa vie... Belle, en pyjama, dansait de joie. Gene elle-même — qui prétendait pourtant détester l'*outback* — ne put cacher son plaisir et courut vers ses frères en riant.

Après une seconde d'hésitation, Liza se précipita aussi... Colin saisit sa sœur par la taille et l'entraîna dans une valse folle. Quant à Liza, elle se retrouva dans les bras de David qui la fit tournoyer jusqu'à en perdre l'équilibre, lui plaquant sur la joue un baiser retentissant. En regagnant joyeusement la véranda, elle jeta un bref regard vers Ryan. Celui-ci, portant Belle dans ses bras, lui adressa un petit sourire froid qui signifiait clairement que, pour lui, elle ne faisait pas partie de la famille... Une douche glacée lui aurait fait le même effet. Elle se sentit brusquement gênée d'être là, rejetée et lui en voulut. Ne pouvait-il se montrer simplement gentil ?

A table, la conversation fut très animée. David ne quittait pas Liza des yeux tandis que Ryan ne lui manifestait que de la froideur et une politesse distante. Ce fut peut-être pour cela qu'elle répondit volontiers aux sourires de David et accepta avec enthousiasme la balade à cheval qu'il lui proposa pour le lendemain...

Après le dîner, tout le monde prit le café dans la véranda. Ryan disparut alors un instant, revint et prit la jeune fille à part. David avait mis de la musique... Déjà, Gene et Colin dansaient en riant comme des fous.

— Le courrier est arrivé, Liza... Il y a une lettre pour vous.

Il la lui tendit et ajouta en baissant la voix :

— Faites attention avec mon frère. Ne lui laissez rien espérer si vous n'avez pas l'intention d'aller jusqu'au bout. Je me fais bien comprendre ?

— Parfaitement... Mais pourquoi me dire ça à moi ? C'est votre frère qui cherche à...

— Vous me prenez pour un imbécile ? l'interrompit-il avec un sourire cynique.

Etait-ce bien le même qui, la veille, l'avait contemplée avec tant de passion ? Abasourdie, Liza ne sut que répondre.

— Je vous connais trop bien pour croire à ce genre de discours, poursuivit-il. Après tout, si vous y tenez, si ça vous excite de briser les cœurs, ne vous gênez pas !

Comme David approchait, Ryan s'éloigna en précisant au passage à son frère :

— Liza a reçu une lettre. Donne-lui cinq minutes pour la lire...

100

— Qu'est-ce que ça veut dire, Liza ? s'étonna David. Vous voulez vraiment lire cette lettre tout de suite ou on danse d'abord ?

Alors, espérant que Ryan l'entendrait, elle déclara à voix très forte :

— Le courrier peut attendre. Dansons !

Ryan, qui continuait à distribuer le courrier, avait donné une enveloppe à Gene.

— Je suis invitée à un mariage... à Perth ! s'exclama-t-elle.

— Tu comptes y aller ? s'enquit Ryan, bourru.

— Bien sûr ! Tu trouveras bien quelqu'un pour s'occuper de la maison pendant mon absence, n'est-ce pas ? Tu pourrais convaincre Debra de rester quelques jours... ou bien Liza ?

Malgré l'indifférence qu'il affichait, Liza sentit qu'il l'observait du coin de l'œil.

— C'est moi qui vais vous persuader de rester... lui murmura David à l'oreille.

Ryan avait raison. Elle devait veiller à ce que David ne tombe pas vraiment amoureux d'elle. Demain, elle lui parlerait. Pas pour obéir à Ryan mais parce qu'il fallait qu'il sache que son cœur était déjà pris et que même si elle n'était pas payée de retour, elle ne pouvait en aimer un autre...

Liza attendit d'être seule dans sa chambre pour lire la lettre. Elle venait de Don. Ignorant ce qui venait d'arriver à Charlie, il croyait la situation sur le point de se dénouer :

« Je pense que tu as l'argent nécessaire pour régler les réparations. Je te rembourserai quand tu me rejoindras. Je sors de l'hôpital dans cinq jours et je vais m'installer chez Len et Caryl Carson. Caryl attend impatiemment que tu la remplaces.

J'espère que leur maison te plaira car je compte la racheter... » écrivait-il.

Il continuait en donnant des nouvelles de Laura. Elle allait mieux mais avait décidé de regagner Perth au lieu de les rejoindre à Darwin. Après des recommandations de prudence afin que la voiture lui revienne en bon état, il l'assurait de son affection. C'était la première lettre que Liza recevait de Don. Il n'y avait pas de quoi faire battre le cœur des jeunes filles... Pourtant, en lui parlant ainsi de la maison des Carson, il lui laissait clairement entendre qu'il comptait la voir partager son avenir. Et pas un mot amoureux, tendre ou romantique... Avec lui aussi, songea-t-elle tristement, il va falloir mettre les choses au point... Car maintenant, elle avait la certitude que jamais elle ne pourrait vivre avec Don.

Tôt le lendemain matin, en se rendant aux écuries pour y retrouver David, Liza croisa Ryan.

— Vous savez monter à cheval ? lui demanda-t-il avec une surprenante douceur.

— A peine ! répliqua-t-elle froidement. Si je n'y arrive pas, David me prendra en croupe !

Il la foudroya du regard mais elle ne baissa pas les yeux et il s'éloigna sans rien ajouter.

En réalité, ayant appris à monter toute jeune, elle était une cavalière accomplie. La promenade avec David fut très agréable, mais Liza dut trouver des ruses de vieux Sioux pour éviter l'intermède romantique que David attendait. Pour mieux le décourager, elle finit par lui parler de Don et de « leurs » projets...

— Vous n'allez pas épouser ce... ce type-là? s'indigna-t-il tout de suite.

Il semblait si horrifié — et déçu aussi — qu'elle eut un peu honte de lui mentir ainsi.

— C'est ce que j'envisageais en quittant Perth...

— Si vous restiez un peu plus à Crystal Downs, je suis sûr que je vous ferais changer d'avis, affirmat-il après un silence.

— Il vaut mieux ne pas essayer, David.

Il lui lança un sourire malicieux.

— Ah non? Et comment comptez-vous m'en empêcher?

Elle mit son cheval au galop en riant et disparut dans un nuage de poussière. Pour l'instant, elle n'avait que ce moyen. Mais après le dîner, quand David lui proposa un petit tour au clair de lune, elle refusa tout net.

— Alors, vous êtes vraiment amoureuse de ce Don? Je n'ai pas de chance... Il ne me reste qu'à espérer que l'Américaine que Debra nous amène demain est aussi ravissante qu'on le dit... Il paraît qu'elle meurt d'envie de rencontrer le seul Langton disponible à ce jour! Quand vous en verrez une autre se jeter dans mes bras, peut-être déciderezvous de ne pas me perdre? Qui sait?

Liza se mit à rire, heureuse de voir qu'il ne prenait pas les choses au tragique.

Betty-Lou Burhans, l'amie américaine de Debra, était charmante et Liza la trouva immédiatement sympathique. Venue en Australie pour rendre visite à un oncle, le hasard lui avait fait rencontrer Debra, lors d'un séjour à Darwin. Elle avoua avec candeur avoir beaucoup entendu parler de la fameuse tribu

Langton. L'invitation au ranch la transportait de joie, elle ne le cacha pas.

Quant à Debra, sans doute mise au courant de la situation par Don — ou par Ryan ? — elle ne dissimula pas son jeu, elle non plus. Dès le premier repas, elle passa à l'attaque.

— Savez-vous que les Carson préparent une grande réception pour vous accueillir ? demanda-t-elle à Liza. Caryl m'a appris que Don et vous rachetiez la maison... Vous allez l'adorer ! Elle est bâtie sur pilotis, dans le style traditionnel... mais renforcée pour résister aux cyclones, bien entendu.

Personne ne pouvait plus ignorer que Liza allait épouser Don... Les yeux obstinément baissés, elle sentit le regard de Ryan sur elle. Après tout, puisque maintenant Debra était là, mieux valait qu'il la croie fermement engagée ailleurs. Ainsi, elle sauvait au moins la face... Et du côté de David, les choses s'arrangeaient à l'amiable, Dieu merci. Il semblait déjà fasciné par les cheveux blonds et le joli minois de Betty-Lou, elle-même visiblement sous le charme du « seul Langton disponible »...

On passa les jours suivants à pique-niquer, jouer au tennis et se balader à cheval. David ne lâchait pas Betty-Lou d'une semelle et Ryan consacrait tout son temps à Debra, l'emmenant au camp, au marquage des bêtes... et à vrai dire, partout où il allait. Et que Liza l'ait prévu ne soulageait pas sa souffrance. Les voir ainsi ensemble lui était une torture constante. Chez les Langton, il était évident qu'on ne laissait pas les passions prendre le pas sur la raison. Liza, elle, était incapable d'une attitude aussi détachée. Elle avait beau lutter désespérément pour accepter l'inévitable, elle était au supplice. Heureusement, cette épreuve ne durerait plus très longtemps. On avait appris le décès du père de Charlie et le mécanicien serait bientôt de retour.

Pour essayer d'oublier un peu son chagrin, elle cuisinait d'énormes plats pour toute la maisonnée, et le soir, dans la véranda, elle écoutait Colin jouer sur sa guitare de vieux airs comme *Valse du Tennessee*... Elle se laissait bercer par la nostalgie de ces mélodies, les yeux ouverts sur la nuit. Si Ryan l'avait aimée, ces instants-là auraient été des morceaux de paradis... Mais Ryan fuyait jusqu'à son regard maintenant, avec Debra suspendue à son bras quand il était debout ou lovée contre lui s'il était assis.

Elle pensait à tout cela, désolée devant le jardin obscur, un soir, tandis que Colin interprétait *Rêverie au camp*, quand Don téléphona.

— Liza ? Qu'est-ce qui se passe ? Comment se fait-il que tu sois toujours là-bas ? Il y a des problèmes pour la voiture ?

— Non... Elle n'est pas encore réparée, c'est tout. Charlie a dû s'absenter...

— Charlie ? Qui c'est, Charlie ?

— Le mécanicien, fit-elle, irritée. Son père vient de mourir. Je suis bien obligée d'attendre qu'il revienne.

— Bon sang ! Ça n'est pas possible ! Et moi qui comptais sur toi d'un jour à l'autre ! Je suis toujours chez Caryl et Len, ils ont déjà préparé ta chambre... Quand penses-tu partir ?

— Je n'en sais rien ! Tout dépend de Charlie. Je t'appellerai dès que je serai fixée.

Don réagissait comme si elle était responsable de ce contretemps ! Dieu sait pourtant qu'elle ne s'amusait pas ici, à regarder flirter Debra et Ryan...

— Au fait, reprit-il, Debra et Ryan, ça marche toujours ?

— Qu'est-ce que tu veux dire par là ?

— Ils sont fiancés ou pas ?

— Rien... rien n'est officiel...

— Ah non ? fit-il d'une voix changée. Ecoute, Liz, viens le plus rapidement possible. Tant pis pour la voiture. On s'arrangera plus tard. Debra remonte sur Darwin dans quelques jours. Demande-lui de te prendre avec elle. J'ai besoin de te voir. Tu sais ce que je ressens pour toi, dis ?

Liza se mordit les lèvres. C'était trop tard. Don aurait beau faire, elle ne l'aimait pas.

— Je ne suis pas très fort pour les déclarations, continuait-il. Mais je me ronge d'inquiétude en te sachant seule avec tous ces hommes pas mariés... Promets-moi de partir avec Debra !

— Bon. Je le ferai... promit-elle à contrecœur.

Don bavarda encore quelques minutes avant de raccrocher. Pleine de remords, Liza resta un instant immobile près du téléphone. Elle aurait dû lui dire qu'il n'avait plus rien à attendre d'elle, mis à part ce travail d'accompagnatrice pour lequel elle s'était engagée... Mais elle avait reculé. Et maintenant, il ne lui restait plus qu'à partir avec Debra pour Darwin. Là elle parlerait à Don... Tout de même, il aurait pu avouer plus tôt que la présence de Liza à ses côtés comptait davantage que sa voiture... De quoi aurait-elle l'air lorsqu'elle annoncerait la nouvelle à Ryan... ?

Elle rejoignit les autres dans le jardin... et ne demanda rien du tout à Debra. C'était de la lâcheté ? Oui — et tant pis ! Elle avait encore deux ou trois jours devant elle.

Chapitre huit

Le lendemain, les Langton allèrent donner un coup de main au ranch voisin où l'on rassemblait le bétail. Betty-Lou ne quittait pas David et Debra suivait Ryan... Ce dernier avait proposé à sa sœur et à Liza de les accompagner mais Gene ayant refusé, Liza avait fait de même, redoutant de jouer la cinquième roue du carrosse. Ryan n'avait pas insisté.

A la fin de cette longue et triste journée, Liza était dans le jardin quand elle entendit rentrer les voitures. Affolée à la seule idée de sourire pour les accueillir, elle courut se réfugier dans sa chambre. Et soudain, elle eut envie de s'habiller. Peut-être que se sentir belle lui remonterait le moral ? Et si Debra l'assaillait de réflexions acides, elle ferait la sourde oreille.

Elle choisit une robe en velours de soie d'un bleu violet, avec de la guipure blanche au col et aux poignets. Elle venait de la mettre lorsqu'elle entendit du bruit dans le couloir... Ce devait être les autres qui montaient se changer car le calme revint tout de suite. Elle achevait de se maquiller légèrement quand deux petits coups frappés à la porte la firent sursauter. Son cœur se mit à battre plus vite... Qu'elle était sotte ! C'était Gene ou Belle...

Ryan avait désormais mieux à faire qu'à la rejoindre dans sa chambre.

— Oui... ?

Le visage de Ryan apparut dans l'entrebâillement de la porte et voyant qu'elle était habillée, il entra.

— Pourquoi vous cachez-vous, Liza ? On ne vous voit plus, en ce moment...

Les joues de Liza s'empourprèrent. Elle baissa vivement les yeux pour éviter son regard perçant.

— Je ne me cache pas ! J'arrive dans une minute.

— Débrouillez-vous pour qu'elle ne fasse que trente secondes. Tout le monde est en bas, on va ouvrir une bouteille de champagne.

Elle vacilla sous le choc, agrippant le bord de la coiffeuse. Le moment était venu... Les fiançailles. Et le sourire de Ryan lui retournait le couteau dans la plaie : il signifiait clairement qu'elle s'était fait des illusions depuis le début...

— Du champagne ? Pourquoi ça... ? parvint-elle à articuler.

— On annonce des fiançailles ce soir.

Elle eut envie de hurler, crut qu'elle allait s'évanouir. Elle aurait voulu se jeter sur son lit et sangloter jusqu'à la fin des temps. Mais rassemblant tout son courage, elle saisit la brosse à cheveux et commença à se coiffer avec soin, le plus calmement qu'elle put.

— J'aurais dû m'en douter, murmura-t-elle.

— Vous n'avez pas l'air enchantée ?

Elle haussa les épaules.

— Pourquoi le serais-je ? Je ne suis que de passage parmi vous. Peu m'importe de savoir qui épouse qui...

— Vous en êtes bien sûre ?

108

Dans le miroir, elle vit qu'il s'approchait. Posant une main sur son épaule, il l'obligea à lui faire face. Alors, reconnaissant dans les yeux de Ryan cette flamme sombre, Liza sentit l'incendie se propager en elle... Sa peau s'embrasait au contact des doigts de Ryan. Laissant tomber la brosse à cheveux sur le tapis, elle ferma les yeux et se laissa aller dans ses bras. Il la serra sauvagement contre lui, exigeant un abandon total... Leurs corps se collèrent l'un à l'autre, poitrine contre poitrine, cuisse contre cuisse, en un contact intime et brûlant. Elle renversa la tête, offrant ses lèvres ouvertes à son baiser, laissant le plaisir couler dans ses veines comme un vin enivrant... Et elle retrouva ce paradis qu'elle croyait perdu.

Ryan releva la tête et, brusquement, elle revint sur terre. Qu'était-elle en train de faire, sinon de céder à un homme qui venait de lui annoncer ses fiançailles avec une autre? Comment avait-elle pu... Et lui, comment osait-il? Sachant qu'il l'attirait irrésistiblement, il se jouait cruellement d'elle. Et comment le lui reprocher, puisqu'elle se laissait faire? Quel genre d'homme était-il donc?

Elle le repoussa de ses deux mains tremblantes.

— Lâchez-moi... Vous m'avez juré avoir des principes! Prouvez-le! J'ignore ce que vous voulez de moi et je ne veux pas le savoir mais à l'avenir, ne me touchez plus! Vous comprenez ce que je vous dis? Ne me touchez plus! Jamais!

Le regard tout à coup durci, il la libéra.

— Vous êtes très claire. Je vous présente mes excuses. Cela ne se reproduira plus.

Comparée à celle de Liza, sa voix était calme, posée... Avant de sortir, il ajouta :

— Descendez rapidement. Il ne faudrait pas

gâcher la soirée des fiançailles de Betty-Lou et de David.

Betty-Lou et David ? Avait-elle bien entendu ? Déjà, Ryan n'était plus là.

Liza s'écroula sur le lit avec un gémissement sourd. Betty-Lou et David... L'amour naissait vite dans l'*outback* ! Et elle avait cru qu'il s'agissait de Debra et Ryan... Ah ! si elle avait su ! Mais non — ça n'aurait rien changé. Ce soir, c'était David et la jeune Américaine. Demain, ce serait Ryan et Debra... Elle avait bien fait de le remettre à sa place. Oui, elle était contente d'en avoir été capable. Mieux valait résister que céder aux désirs les plus fous...

Elle essuya ses larmes d'une main rageuse. Croyait-il pouvoir la manipuler à sa guise éternellement ? Eh bien ! il avait vu le résultat. C'était elle qui lui tournait le dos !

Elle remit de l'ordre dans sa toilette et descendit d'un pas résolu. Peut-être tremblait-elle encore un peu en affrontant l'assemblée, mais elle souriait et elle parvint à féliciter les jeunes fiancés d'une voix presque naturelle.

Ryan s'occupait du champagne et il la regarda à peine. Gene avait sorti des coupes en cristal et disposé sur un plateau d'argent biscuits salés, olives, amandes et noisettes... Betty-Lou et David exultaient. Tout le monde semblait heureux. Les yeux brillants, Belle sautillait de joie, et sa présence donnait à la scène une note de tendresse familiale qui faisait d'autant plus ressentir à Liza qu'elle n'était ici qu'une étrangère. Une intruse.

De plus, on parla des affaires de famille, ce qui l'écarta forcément de la discussion. Debra couvait Ryan d'un regard qui semblait dire qu'eux aussi ils avaient une surprise en réserve, puisqu'on en était au chapitre des mariages...

Bientôt, les hommes sortirent pour allumer le barbecue, dans le jardin. Gene et Betty-Lou allèrent préparer les salades à la cuisine et Liza se retrouva seule avec Debra. C'était le moment ou jamais de lui demander de la ramener à Darwin... Debra alluma une cigarette.

— Quelque chose vous tracasse, Liza ? Vous faites une tête de cent pieds de long... Vous avez hâte de rejoindre Don, c'est ça ?

Comme elle était exaspérante, avec ses airs supérieurs !

— Je me demandais si vous accepteriez de m'emmener avec vous, quand vous rentrerez à Darwin. Je ne sais pas combien de temps il faudra pour réparer la voiture et...

— Et vous en avez assez de ce pays de sauvages ! l'interrompit Debra. Ma pauvre petite, vous n'avez pas dû vous amuser beaucoup ! Dès que je vous ai vue, j'ai deviné que vous n'étiez pas faite pour l'*outback*.

Elle s'était donc trompée dès le premier instant... Mais Liza lui demandait un service : ce n'était pas le moment de la contrarier...

— Alors, vous voulez bien ? Vous partez dans un jour ou deux, je crois...

Debra regarda la robe de Liza et lissa son pantalon beige d'une main distraite, l'air de penser qu'il fallait être un peu simplette pour porter du velours et de la dentelle dans l'*outback*.

— Je serais ravie de vous dépanner, Liza, mais je ne sais pas encore quand je repars... Il est probable que la voiture de Don sera prête avant moi !

Elle avait donc changé ses projets ? Certainement à cause de ses fiançailles...

— Tant pis... Je me débrouillerai autrement.

— Je crains qu'il ne vous faille supporter ce pays encore quelque temps. Mais vous n'en apprécierez que mieux Darwin ! Et dès que vous aurez retrouvé Don, tout s'arrangera...

L'apparition rapide de Gene et Betty-Lou fit diversion et Liza les suivit à la cuisine pour les aider. Avant d'entrer, elle essuya furtivement une larme. Si Debra restait, ses fiançailles avec Ryan seraient bientôt annoncées...

Pour le lendemain, on décida de pique-niquer à Crystal Pool, Liza aurait bien voulu y échapper mais Gene étant de la partie, elle n'aurait aucune excuse pour rester à la maison...

— Je vais finir par regretter d'avoir accepté d'assister à ce mariage, à Perth ! s'écriait Gene. On passe son temps à faire la fête, ici, entre les pique-niques et les fiançailles ! A quand ton tour, Ryan ?

— Ça te fera le plus grand bien de revoir Perth, dit-il.

— Tu sais, si j'y vais, je pourrais bien ne pas en revenir... Surtout si tu as trouvé quelqu'un pour me remplacer !

— De toute façon, tu seras toujours la bienvenue, assura-t-il en la serrant contre lui.

C'était vrai qu'il pouvait être tendre avec ceux qu'il aimait. Il manifestait à Gene une affection touchante. Tandis qu'il n'avait que mépris pour Liza... Elle s'éloigna, gênée devant ces effusions dont elle était exclue.

Enfin seule dans sa chambre, elle fit le point. Sa situation n'était pas brillante... Elle se retrouvait coincée ici — puisque Debra restait — jusqu'à ce que la voiture de Don soit réparée... par Charlie qui n'était toujours pas rentré ! Et pour comble de malheur, elle allait revoir Crystal Pool...

Le lendemain, ils partirent en début de matinée, après avoir laissé Belle chez Selma Gray. Liza monta avec Gene dans la voiture de Colin et dès leur arrivée à Crystal Pool, ils se mirent tous à l'eau. Seules, Gene et Liza restèrent sur la rive pour préparer le déjeuner.

Le petit deux-pièces vert sombre de Debra allait parfaitement à sa silhouette longiligne. Elle était fort séduisante dans cette tenue. C'était, en tout cas, ce que semblait penser Ryan.

Après le déjeuner, David suggéra de rentrer à la maison en longeant le bras d'eau. La proposition fut adoptée à l'unanimité.

— Ça vous plaira, Liza, dit Colin en reprenant le volant. On y voit encore plus d'oiseaux qu'ici, à Crystal Pool ! Et puis, on pourra refaire un petit plongeon... Il fait si chaud ! Qu'en pensez-vous, toutes les deux ?

— Moi, je ne me baigne pas ! s'exclama Gene. Dans ces eaux troubles, on n'est jamais à l'abri des crocodiles !

— Tu exagères ! Au pire, on aperçoit de loin un petit Johnston. Ces crocodiles ne sont pas dangereux... Il n'y a que les poissons qui les intéressent, pas les gros morceaux comme toi !

Ils s'arrêtèrent à l'ombre d'un cajeput. David et Ryan étaient déjà en slip de bain. Debra et Betty-Lou les rejoignirent bientôt dans l'eau mais restèrent sur le bord alors que les hommes nageaient vers l'autre rive, assez éloignée. Colin plongea à son tour. Liza pesait le pour et le contre quand elle remarqua le sourire narquois de Debra.

— Les eaux de nos rivières sont trop troubles pour vous ? Evidemment, ça vous change des eaux claires de vos plages du Sud !

Le ton était si méprisant qu'une bouffée de colère envahit Liza. Si Debra nageait dans ce bourbier, ne pouvait-elle vraiment pas en faire autant ?

— J'y vais ! dit-elle à Gene.

Elle mit son bikini discrètement puis, au lieu de rejoindre Betty-Lou et Debra, elle longea la rive jusqu'à un endroit tranquille, un peu plus loin. Les fleurs de nénuphars étaient superbes, ouvrant leurs corolles bleues ou blanches sur les larges feuilles vertes. L'eau était calme. Le coin très romantique.

Il perdit cependant une bonne partie de son charme quand elle entra dans l'eau boueuse. Voulait-elle ou non prouver à Debra que les filles du Sud avaient du courage ? Alors, il fallait nager.

Après quelques brasses, l'impression désagréable se dissipait. On oubliait la couleur de l'eau et le spectacle offert par les oiseaux était fascinant. Un martin-pêcheur plongea tout près d'elle, remontant vers le ciel avec sa prise au bec... Un peu plus loin, du côté où nageaient les hommes, une flottille de pélicans évoluait majestueusement. Soudain, un hurlement aigu lui fit tourner la tête... Betty-Lou et Debra sortaient précipitamment de l'eau et l'Américaine agitait frénétiquement les bras en direction de Liza... Que se passait-il ? Elle regarda autour d'elle sans rien voir d'alarmant. Qu'est-ce qui pouvait les affoler à ce point ? Elle remarqua alors une bûche, qui flottait vers elle... Une bûche...? Seigneur ! c'était un crocodile !

Le cœur battant, Liza tenta de raisonner : ce

n'était qu'un petit Johnston. Un de ceux qui ne mangeaient que du poisson... Aucun crocodile sain d'esprit ne l'aurait confondue avec un poisson. Oui, mais celui-là n'était peut-être pas sain d'esprit ? En tout cas, il approchait... Paralysée par l'effroi, Liza était soudain incapable de faire un mouvement — plus tard, elle se demanderait comment elle avait fait pour ne pas couler. Il glissait vers elle, inexorablement. Elle distinguait nettement ses yeux globuleux, ses larges narines dilatées... Il était sur elle. Il la frôla et... continua son chemin sans ralentir.

Liza ferma les yeux un instant puis elle nagea vers la rive. Son corps agissait de façon mécanique, sans qu'elle y soit pour rien. Elle sortit de l'eau sans trop savoir comment et au bord de l'évanouissement, essuya ses cheveux en tremblant. Betty-Lou accourait, surexcitée :

— Liza ! Mais vous n'avez pas eu peur ? Debra et moi, nous avons failli mourir de saisissement en voyant cette horrible bête venir vers nous ! Nous avons sûrement battu tous les records du cent mètres pour sortir de l'eau !

Liza ouvrit la bouche pour répondre mais aucun son ne sortit de sa gorge. Gene s'avançait avec une tasse de thé.

— Venez vous asseoir à l'ombre. Vous avez besoin de vous remettre... Voilà les garçons. Ils doivent se demander pourquoi vous vous êtes affolées !

— Affolées ? fit Debra d'un air pincé. Betty-Lou et moi avons réagi de la seule façon sensée en sortant de l'eau au plus vite. Quant à cette pauvre Liza, elle ne s'est rendu compte de rien ! Si elle avait compris que c'était un crocodile, elle aurait filé !

Toujours aussi aimable, Debra... Mais Liza se sentait encore trop faible pour protester. Betty-Lou s'était jetée dans les bras de David et lui racontait l'affaire avec force détails. Debra souriait avec condescendance, maintenant, comme si on faisait beaucoup de bruit pour rien. Elle avait pourtant été la première à jaillir hors de l'eau !

Liza frissonna et but une gorgée de thé brûlant. En dépit de la chaleur, elle était glacée jusqu'aux os. Et tout à coup, elle vit le regard étrange de Ryan fixé sur elle... Consciente de sa quasi-nudité dans ce minuscule bikini, elle s'écarta du petit groupe occupé à écouter le récit de Betty-Lou :

— Il ne s'est pas vraiment approché de nous, admettait la jeune Américaine. Mais il est passé à deux centimètres de Liza et elle n'a pas bougé d'un pouce !

— Evidemment, s'écriait Debra avec mépris, elle a cru que c'était une souche flottante ! De toute façon, un petit Johnston ne pouvait pas lui faire de mal !

Si Liza n'avait pas couru de réel danger, elle avait eu très peur et les réflexions de Debra la blessaient. Elle avait plutôt besoin de réconfort, après cet incident. Elle alla jusqu'à la voiture, posa sa tasse de thé sur le toit et s'enroula dans une serviette de bain. A cet instant, elle aperçut Ryan qui se dirigeait vers l'autre voiture toute proche. Qu'espérait-elle donc ? Qu'il vienne la consoler ? Elle ferma les yeux sur une larme indésirable et lorsqu'elle les rouvrit, il était près d'elle. Il contempla un instant le corps gracile tremblant sous le drap de bain, puis il prit une flasque d'alcool dans la boîte à gants et en versa une bonne rasade dans la tasse de thé.

— Buvez, dit-il. Vous êtes blanche comme un linge.

Il lui mit d'autorité la tasse dans les mains et elle obéit. C'était fort et sucré. Une vague de chaleur l'envahit, mais pas seulement à cause de l'alcool... Ryan avait senti sa détresse et il était venu la réconforter...

— Je suis navré de ce qui est arrivé, Liza. Je n'aurais pas dû vous laisser nager si loin. Debra connaît le coin, elle sait qu'il vaut mieux rester près du bord... Vous aviez compris que c'était un crocodile, n'est-ce pas ?

— Oui... J'aurais dû sortir de l'eau mais mes jambes se refusaient à tout mouvement... Décidément, je ne suis pas faite pour l'*outback* ! conclut-elle avec un petit rire faux. Je suis bien trop peureuse !

— Vous n'avez pas perdu la tête et j'en connais beaucoup qui se seraient affolées. Quand je pense à ce qui aurait pu arriver... On ne sait jamais, vous savez, même avec un Johnston... Tout ça est de ma faute.

— Vous n'avez rien à vous reprocher ! Vous n'êtes pas responsable de moi !

Elle ne comprenait plus... ni sa réaction, ni le regard tendre et grave dont il l'enveloppait.

— Si, Liza. Du moins aussi longtemps que vous serez chez moi.

Il lui prit la tasse vide. Aussitôt, elle porta les mains à son visage. Pourquoi pleurait-elle... ? Les bras de Ryan se refermèrent sur elle et une joue sur ses cheveux mouillés, il la serra contre lui.

Elle sanglota doucement un court instant.

117

— Ça va mieux, assura-t-elle enfin. Merci pour l'alcool. Il faut retourner auprès des autres... Ils vont peut-être croire que...

Elle se tut, rougit et essuya ses yeux, honteuse de s'être laissée aller ainsi.

— Mais non, dit-il avec douceur. Ils sont allés voir un nid d'oiseau que David a repéré un peu plus loin.

Et il la reprit fermement dans ses bras. La serviette glissa à terre. Tout de suite, le contact du corps de Ryan contre elle réveilla en elle un tourbillon de sensations très différentes de la douce tendresse de tout à l'heure. Elle oubliait tout, elle perdait pied... Elle tenta une seconde de se ressaisir puis s'abandonna, se laissant dériver au gré de son désir comme une fleur de nénuphar emportée au fil de l'eau.

Quand il lui prit la bouche, elle entrouvrit docilement les lèvres et ils furent emportés dans le maelström de la passion... Elle ressentait le même plaisir vertigineux que la première fois à Crystal Pool. La même communion... Quand Ryan reprit son souffle, elle posa les lèvres sur sa poitrine nue et la goûta du bout de la langue. Il gémit, la plaqua contre lui, couvrant son cou, ses épaules, de baisers brûlants. Où avait-elle trouvé l'audace d'oser un geste aussi intime ? L'alcool lui tournait-il la tête ? Elle eut un infime mouvement de recul...

— Restez là, ordonna Ryan tout bas.

Elle s'abandonna de nouveau et l'enlaça, bougeant tout doucement contre lui. Ce n'était plus le déchaînement physique qui l'avait saisie quand il avait pris ses lèvres, mais une langueur insidieuse tout aussi dangereuse...

Il l'embrassa de nouveau, anéantissant le peu de

contrôle qu'elle gardait encore sur elle-même. Maintenant, elle était prête à tout, mais il l'écarta.

— Ils reviennent, annonça-t-il. Ça va, maintenant ?

Il lui prit la main, la serra.

— Oui... Oui, ça va.

Sa voix tremblante contredisait ses paroles. Elle venait d'être brutalement ramenée sur terre alors qu'elle atteignait les portes du paradis... Elle respira profondément, ramassa la serviette et rejoignit le petit groupe.

Betty commentait leur découverte avec enthousiasme. Debra ne disait rien et Liza surprit le regard inquiet qu'elle lui jeta à la dérobée. La jeune fille sentit sa bouche trembler, comme si les baisers de Ryan l'avaient marquée... Tenaillée de remords, elle fila vers la voiture et se rhabilla.

Chapitre neuf

David et Betty-Lou partirent pour informer l'oncle de la jeune fille de la grande nouvelle. Ryan et
Colin rejoignirent le camp et Liza resta seule avec
Gène et Debra. Depuis la veille, elle avait la
certitude que Ryan partageait ce qu'elle éprouvait
pour lui. Il allait pourtant épouser Debra... Que
fallait-il penser ?

Elle se réfugia dans la véranda avec un livre,
espérant se détendre un peu. Impossible de fixer
son attention sur ce qu'elle lisait... Ryan, Debra,
Don... Comment avait-elle pu en arriver à un tel
imbroglio ? Il n'y avait qu'une solution : elle devait
quitter Crystal Downs. Rejoindre Don, comme
prévu, et s'efforcer d'oublier Ryan.

— On dirait que ce livre ne vous passionne pas ?

Debra se laissa tomber sur un fauteuil et alluma
une cigarette.

— Je ne vous en offre pas, Liza, je sais que vous
ne fumez pas... Etes-vous remise de cette grande
frayeur d'hier ?

Liza comprit qu'elle ne venait pas simplement
pour bavarder. Son ironie condescendante n'était
qu'une entrée en matière...

— J'ai vu Ryan vous réconforter et je n'ai pas
voulu vous déranger, poursuivit Debra d'un ton

beaucoup trop mielleux. A votre place, je ne ferais pas grand cas de ce genre d'attention... Les larmes attendrissent toujours Ryan. Il n'y a qu'à le voir avec Belle ! J'espère que vous n'avez pas changé d'avis au sujet de Don ?

— Excusez-moi, fit Liza avec froideur, mais sans cesser de sourire, je n'ai pas souvenir de vous avoir parlé de mes projets...

— Don n'en fait aucun mystère, lui ! Il paraît que vous teniez vos fiançailles secrètes pour ne pas déclencher les foudres de votre famille, qui y serait plus ou moins opposée ? C'est Caryl qui me l'a dit.

Elle souffla un rond de fumée bleue et parut soudain prodigieusement intéressée par les évolutions du petit nuage. Il y eut un long silence. Debra savait ménager ses effets.

— Enfin... reprit-elle, enfin, tout ceci ne me regarde pas. Mais ne touchez pas à Ryan ! Je veux l'épouser.

Liza reçut la phrase en pleine figure, comme une gifle.

— Evidemment, ajouta Debra, je sais qu'il est, comment dire... attiré par vous. Et j'en connais la raison. Avec vos grands yeux innocents, vous lui rappelez celle qu'il a épousée quand il avait vingt ans. Vous ressemblez un peu à Christine, je l'ai tout de suite remarqué. C'est ce qui trouble Ryan, mais ça ne durera pas parce qu'il a du bon sens. On ne bâtit pas une nouvelle vie sur des fantômes. Dès que vous aurez disparu, il vous oubliera et très rapidement...

Gene aussi avait été frappée par cette ressemblance avec Christine... Ainsi, ce qui poussait Ryan vers elle n'était que l'ombre du passé ?

— Vous voyez bien, concluait Debra en écrasant

méticuleusement sa cigarette, qu'il serait stupide de vous enticher de Ryan. Ne perdez pas Don! Il vous aime pour ce que vous êtes, lui.

Liza aurait voulu mourir. Elle haussa légèrement les épaules, ne trouvant que ce geste pour ne pas perdre la face.

— Vous faites une montagne de pas grand-chose, Debra. Pourquoi ce discours? Il n'y a pas lieu de vous inquiéter, même si Ryan ne vous a pas encore demandée en mariage...

Le coup avait porté. Debra lui décocha un regard glacial.

— Je ne m'inquiète que pour vous, ma petite! Je voulais simplement vous mettre en garde contre vous-même. Votre conduite de ces jours derniers était assez pathétique... Bien, fit-elle en se levant. Je vais rejoindre Ryan au camp. Il m'attend. Nous nous reverrons au dîner. En attendant, réfléchissez un peu à tout cela.

Entre ce que lui avait dit Debra et ce que ne lui avait pas dit Ryan, Liza avait effectivement matière à réflexion. La veille, Ryan l'avait regardée comme s'il ne pouvait plus vivre sans elle. Mais que lui avait-il demandé? Rien. Entre eux, tout passait par le regard, pas par les mots. Essayer de comprendre Ryan, c'était comme entamer la lecture d'un livre et s'apercevoir qu'il s'arrête au milieu d'une phrase. Mais Debra venait de lui livrer les pages manquantes... Elle lui avait donné la clé du mystère et son explication cadrait, hélas! trop bien.

Le soir vint. Pendant le dîner, Liza essaya d'avoir l'air naturel et de ne pas trop regarder Ryan. Elle ne voulait surtout pas avoir « l'air pathétique »... On parlait bétail — sujet auquel elle ne connaissait

122

rien — et Debra intervenait intelligemment, plaçant çà et là des remarques pleines d'à-propos. Quand ils en furent au café, Liza se leva sous prétexte d'aider Gene, mais en réalité pour éviter le regard brûlant de Ryan... A quoi tout cela rimait-il, si elle ne l'intéressait que parce qu'elle lui rappelait une morte ?

Gene apporta les tasses et demanda à la ronde :

— Qui serait volontaire pour me conduire à Darwin avec Belle, dans quelques jours ? Je voudrais y faire des achats pour le mariage avant de prendre l'avion. Je n'ai plus rien à me mettre et je veux faire sensation pour mon retour à Perth !

— Nous sommes tous très occupés avec le bétail en ce moment, fit Ryan. Le mieux serait que tu partes avec Debra. Tu reprends bientôt ton travail, n'est-ce pas, Debra ?

La jeune femme ne répondit pas tout de suite. Le regard soudain plus aigu, elle fumait nerveusement.

— Aucune date n'est fixée, je m'y remets quand je veux, déclara-t-elle enfin. Mais si je peux rendre service, bien sûr... Quel jour voulez-vous partir, Gene ?

— Eh bien... après-demain ? Cela ne vous paraît pas trop tôt ?

Debra jeta un bref coup d'œil à Ryan.

— Pas du tout. Quand vous voudrez.

— Voilà une affaire réglée, conclut Ryan. D'ailleurs, je me doutais que tu ne tenais pas à prolonger ton séjour, Debra. Ce qui t'attend à ton retour est tellement passionnant... Un reportage à Bali !

Debra réussit à paraître enthousiaste.

— Oui ! La vie dans un village balinais, du point de vue des femmes qui y habitent... C'est très intéressant, mais je ne suis pas encore décidée à accepter. Le photographe qui doit m'accompagner n'est pas mon collaborateur préféré, loin de là... A vrai dire, j'y renoncerais volontiers, si j'avais de bonnes raisons.

Elle dit cela en regardant impudemment Ryan dans les yeux. Il ne pouvait pas ne pas comprendre... Liza s'absorba dans la contemplation de la nappe, attendant qu'il parle. Mais il garda le silence.

Gene se leva pour desservir. Aussitôt, Liza se précipita pour l'aider, redoutant d'être là quand il ouvrirait la bouche. Quand elle revint, il avait disparu. Et Debra aussi. Folle de jalousie, elle monta se réfugier dans sa chambre.

Si Debra partait, Liza devrait aussi quitter Crystal Downs. Pour la jeune femme, l'essentiel était d'éloigner Liza au plus vite afin que Ryan retrouve la raison.

Finie la grande aventure, se dit Liza. Il fallait revenir à une réalité d'autant plus difficile à affronter qu'elle savait désormais qu'elle ne pourrait ni épouser Don ni retourner à Perth. Elle aurait tant voulu avoir un métier passionnant, comme Debra... Or, elle n'avait aucune qualification. A l'époque de la libération de la femme, Liza était une laissée pour compte, une inadaptée, elle qui n'aspirait qu'à être une bonne épouse, à se dévouer corps et âme au bonheur d'un homme... Pas n'importe quel homme, bien sûr. Ryan et aucun autre.

— Alors, on boucle les valises ? lui demanda Debra le lendemain, en se mettant à table pour dîner.

— Je n'ai pas encore commencé... avoua Liza, le cœur battant.

Si Debra était certaine qu'elle les accompagnait, Liza n'avait pas encore prévenu Ryan de son départ. Et depuis ce matin, elle repoussait sans cesse le moment de le lui annoncer.

— Je vous conseille de le faire ce soir, dit Debra. Nous partons à l'aube, demain. Vous allez vous retrouver bien seuls sans nous trois, ici ! Liza n'en peut plus de Crystal Downs. Elle est impatiente de retrouver son fiancé... n'est-ce pas ?

Non, Liza ne voulait pas revoir Don. Cependant, il valait peut-être mieux que tout le monde croie le contraire... Embarrassée, elle se mit à faire de tout petits tas de miettes, sur la nappe. Mais Ryan ne l'entendait pas ainsi...

— Don et vous êtes réellement fiancés ? demanda-t-il. Vous êtes si discrète sur ce sujet... Je ne savais même pas que vos fiançailles étaient officielles !

— Oh ! elles ne le sont pas ! intervint Debra avant que Liza ait eu le temps d'ouvrir la bouche. La famille de Liza n'approuve pas ces jeunes gens, alors cela reste secret ! Caryl et Len sont sûrs que le *Jabiru Safari Tours* va repartir magnifiquement avec Don. Il a les capitaux nécessaires pour lui redonner un second souffle...

Don avait... des capitaux ? Debra en savait plus que Liza, qui croyait, au contraire, qu'il avait dû s'endetter lourdement pour acheter cette affaire... Brusquement, les craintes de tante Esmée lui revinrent en mémoire. Combien de fois avait-elle répété que tout ce qui intéressait Don, c'était l'argent de sa nièce ? Liza avait toujours refusé de le croire mais après tout, tante Esmée était peut-être dans le vrai ? Et c'était horrible de penser cela...

Ce soir-là, Liza fit ses valises, essayant de ne pas trop penser à Ryan, puisqu'elle ne le reverrait plus jamais... Perdue dans ses réflexions, elle n'entendit pas tout de suite les coups frappés à sa porte.

— Qui est-ce... ? demanda-t-elle alors.

En voyant entrer Ryan, elle se raidit, puis, pour se donner une contenance, elle rejeta ses cheveux en arrière... Venait-il lui faire ses adieux ? Elle ne pourrait pas le supporter ! Déjà, elle n'avait plus aucun courage, elle brûlait de tendre la main vers lui, de le toucher...

— Que voulez-vous ?

— Vous ne m'avez pas prévenu de ce départ qui a tout l'air d'une fuite précipitée... pour rejoindre votre fiancé ?

— Non, c'est vrai. Je suis désolée. Je voulais vous en parler et puis vous avez passé toute la journée dehors...

— Pourquoi êtes-vous si pressée de partir ?

Il fixait sa bouche et elle se sentit rougir.

— Je suis restée trop longtemps... Don m'a téléphoné, il trouvera une autre solution pour la voiture.

— Il arrange tout à sa façon ? Eh bien, ça ne me convient pas, à moi ! Si vous m'aviez dit un mot de ce projet, je vous aurais appris que Charlie revient demain. Vous attendrez que la voiture soit prête. Debra est au courant. Je suis sûr que votre fiancé comprendra.

Son fiancé...

— Mais nous ne sommes pas...

— Officiellement engagés ? Je sais. D'ailleurs, je ne l'ai jamais cru.

126

Elle reconnut le désir dans ses yeux — un désir impératif, passionné. Cependant, il ne la prit pas dans ses bras. Commençait-il à comprendre ce qui l'attirait en elle... ? Et tout à coup Liza ne put soutenir plus longtemps son regard. Il fallait qu'elle sache !

— Pourquoi me fixez-vous ainsi ? Parce que je vous rappelle Christine ? demanda-t-elle à voix presque basse.

Il accusa le coup puis la colère le fit blêmir.

— Qui vous a mis une idée pareille dans la tête ?

— Des personnes qui l'ont connue. Elles ont raison, n'est-ce pas ?

— Non, pas du tout.

Au muscle qui tressautait sur sa mâchoire crispée, Liza sut qu'elle avait dépassé les bornes. Elle se mit à vider sa valise, le regard de Ryan fiché dans le dos comme un poignard.

— Peut-être après tout me la rappelez-vous, fit-il soudain.

Et il quitta la pièce sans un mot de plus. Elle demeura immobile un instant puis continua à replacer, avec des gestes d'automate, ses affaires dans l'armoire. Elle avait gagné une journée... Après-demain, elle serait bien obligée de prendre le volant pour le long trajet jusqu'à Darwin. Seule. N'avait-elle pas voulu de toutes ses forces son indépendance ? Eh bien, elle l'avait obtenue. Ce n'était pas le moment de s'écrouler comme une enfant.

Le lendemain, elle se leva de bonne heure pour dire au revoir à Gene, à Belle... et à Debra. Colin était déjà au travail mais Ryan était à la cuisine, plus viril que jamais, en pantalon de treillis et chemise kaki. Elle sortit rejoindre les voyageuses qui achevaient de charger la voiture. Debra devait être furieuse de la laisser seule avec Ryan... Liza en était elle-même très ennuyée, mais que faire d'autre ? Puisque Charlie devait revenir incessamment, il aurait été stupide d'abandonner la voiture de Don. Debra pouvait comprendre cela.

La matinée était fraîche. Des lambeaux de nuages flottaient dans le ciel clair. Belle allait et venait, incapable de tenir en place, la larme à l'œil à l'idée de quitter ses oncles et tout excitée de partir pour un si grand voyage. Ryan apparut et comme il la prenait dans ses bras pour la porter jusqu'à la voiture, Liza remarqua l'expression de tendresse qui adoucissait ses traits. Mais Debra s'approchait d'elle :

— Alors, vous ne venez pas... c'est décidé ?

— Non, puisque Charlie va bientôt arriver.

— Oui, bien sûr. Un message pour Don ?

— Eh bien, dites-lui que la voiture sera prête dans deux jours. Et... embrassez-le pour moi.

Elle avait ajouté ces mots pour rassurer Debra mais Gene et Ryan avaient entendu. Gene fit une petite grimace. Elle tenait toujours Don en aussi piètre estime...

— Ne vous lancez pas à la légère, dit-elle à Liza en l'embrassant. Vous êtes trop bien pour épouser n'importe qui... Je suis ravie que vous soyez restée avec nous. Je vous confierais bien mes grands nigauds de frères si vous pouviez rester !

— Voyons, intervint Debra. Cette pauvre Liza en a par-dessus la tête de ce pays ! Et vos grands frères sont tout à fait capables de se débrouiller seuls. Si je n'en étais pas certaine, je vous déposerais à Darwin et je reviendrais bien vite m'occuper d'eux moi-même !

Quand Gene fut montée en voiture avec Belle, Ryan embrassa Debra. Ils échangèrent quelques mots tout bas et la jeune femme prit le volant.

— A bientôt à Darwin! lança-t-elle joyeusement à Ryan avant de démarrer.

Liza agita la main un moment. Elle était seule avec Ryan...

— Allez donc prendre votre petit déjeuner, lui dit-il, très détendu. Je vais voir les bêtes. Charlie s'occupera de vous dès son retour.

— Merci...

— J'espère que vous ne vous ennuierez pas trop pendant la journée. Ne vous cassez pas la tête pour le dîner. Colin et moi, nous ferons un solide déjeuner avec les hommes... A ce soir!

Elle but du café à la cuisine et fit un peu de rangement avant d'aller cueillir un bouquet pour Selma Gray, qui attendait son mari d'un moment à l'autre.

De retour dans la grande maison, celle-ci lui parut terriblement déserte. Les jeunes filles avaient terminé le ménage et étaient parties. Après l'animation de ces derniers jours, les grandes pièces vides semblaient immenses. Liza aurait presque préféré être sur la route de Darwin, plutôt que d'attendre ici le retour de Ryan...

Un peu plus tard dans la matinée, elle entendit Charlie arriver. Cette fois, son départ ne tarderait plus. Un millier de kilomètres à parcourir seule... Un vrai défi. Mais qu'elle était capable de relever! Elle avait beaucoup changé depuis son départ de Perth. L'incident du crocodile avait au moins prouvé cela. Non qu'elle ait montré un courage extraordinaire mais enfin, comme l'avait souligné Ryan, elle n'avait pas perdu la tête...

Mais il fallait oublier Ryan. Elle prit un livre et s'installa sur le sofa du salon. Elle n'avait pas tourné trois pages que le vrombissement d'un moteur emplit le calme de la matinée. Elle courut dans la véranda. Un avion ! L'appareil s'apprêtait à se poser sur le terrain d'atterrissage du ranch... C'était un petit Beechcraft, semblable à ceux qu'on utilisait à la compagnie minière que dirigeait son oncle. Elle vit un nuage de poussière du côté de chez Charlie. Il prenait sûrement la voiture pour aller accueillir le nouvel arrivant...

Elle revint au salon, curieusement mal à son aise... Bientôt midi. Elle se prépara un sandwich et du thé, disposa le tout sur un plateau. A cet instant, elle entendit une voiture ronronner dans l'allée, une portière claquer, des pas dans l'escalier... Et par la porte-fenêtre du salon, elle reconnut l'homme qui arrivait et faillit en laisser tomber le plateau... Oncle Walter !

Aussi heureuse qu'anxieuse, elle se précipita pour l'accueillir... S'il comptait la ramener à la maison, elle ne se laisserait pas faire !

— Oncle Walter ! Quel bonheur de te voir ici ! Donne-moi ta veste... Tiens, assieds-toi... Je viens de faire du thé. Tu en veux une tasse ?

. — Oui, merci...

Il la regarda d'un air pensif, visiblement surpris de la voir réagir ainsi. Avait-elle tellement changé depuis son départ de Perth ? En tout cas, elle avait bien plus d'assurance et n'accepterait plus aussi facilement son autorité.

— Je vois avec plaisir que tu es en forme ! Mais tu fais comme chez toi, ici ? Tu es seule dans cette maison ?

— Les garçons sont au travail.

Il desserra sa cravate. Son impeccable costume de ville n'était pas fait pour l'*outback*... Puis, ayant jeté un coup d'œil autour de lui, il prit la tasse de thé qu'elle lui tendait.

— Je ne sais pas si tu te rends bien compte, Liza, du souci terrible que se fait ta tante, commença-t-il. Tu ne nous as pas envoyé un mot depuis ton départ ! Nous avons appelé chez les Harris pour avoir des nouvelles et ils nous ont appris que Laura était rentrée, Don blessé et toi perdue quelque part dans le district de Kimberley ! Tu crois que c'est gentil de ta part, cette façon d'agir ?

Evidemment, il avait raison. Ça n'était pas gentil du tout. Mais il n'avait tout de même pas espéré qu'elle enverrait à Perth un rapport quotidien sur ses activités ?

— Je suis désolée. J'aimerais tant que tante Esmée comprenne... J'ai vingt ans, je peux me débrouiller toute seule !

— Tu en es bien sûre ? Eh bien, moi, j'en doute. J'ai même l'impression que tu t'es fourrée dans un drôle de pétrin. Mais enfin, si tu nous avais prévenus, j'aurais envoyé quelqu'un te chercher !

C'était justement ce qu'elle avait redouté...

— Je n'allais pas vous appeler au secours au premier pépin !

Oncle Walter fronça les sourcils.

— Et ce mécanicien me dit que tu dois ramener la voiture de Don Harris à Darwin ? Toute seule ? C'est de la folie ! Et si Don avait eu un peu de considération pour toi, il se serait arrangé autrement... Tu ferais mieux de rentrer avec moi.

Cette solution était sans doute la plus raisonnable... Liza se sentait piégée. Elle dut faire appel à toute sa détermination pour refuser :

— Je suis désolée, oncle Walter. Je ne rentrerai pas à Perth. J'ai d'autres projets.

— Ah! oui... Puis-je savoir lesquels? Qu'est-ce que tu t'es encore fourré dans la tête! Je peux t'assurer que tu ne trouveras pas de travail à Darwin. Si tu veux ton indépendance, commence par acquérir un peu d'expérience dans le monde des affaires. Mais nous en reparlerons. Maintenant, va faire tes valises et dépêche-toi! J'ai déjà perdu assez de temps...

A ces mots, Liza perdit patience. Elle acceptait de discuter, mais pas d'être traitée en petite fille.

— J'ai passé l'âge des remontrances, déclara-t-elle fermement. C'est moi qui décide de ce que je fais, désormais. Tu as l'air d'oublier que j'ai l'âge de me marier... D'ailleurs, c'est ce que je vais faire. Ne me donne plus d'ordres, oncle Walter.

Elle se tut brusquement en prenant conscience de ce qu'elle venait de dire... Son oncle était rouge de colère.

— Tu espères épouser ce Don Harris? Majeure ou pas, je te refuse mon autorisation! Si tu avais un grain de bon sens, tu comprendrais qu'il ne vise que ta dot! Sais-tu ce que j'ai appris? Eh bien, il l'a déjà pratiquement dépensée!

— Ce n'est pas lui que je vais épouser.

— Ah! Tu me rassures! Mais alors... qui?

Liza se mordit les lèvres. Il fallait absolument trouver une réponse... Elle se jeta à l'eau.

— Quelqu'un d'ici.

— Un des fils Langton?

Elle acquiesça, n'ayant aucune autre issue.

— Ça n'est pas encore officiel... ajouta-t-elle prudemment.

Une voiture s'arrêta alors devant la maison.

Sûrement Charlie, qui venait chercher son oncle pour le reconduire au terrain d'atterrissage...

— Ne me pose pas de questions, oncle Walter... Je t'écrirai pour t'expliquer. Je sais que tu es pressé.

Comment lui aurait-elle donné davantage de détails sans s'enferrer ?

— D'ailleurs, voilà Charlie qui arrive...

Liza se retourna vers la véranda... et s'immobilisa aussitôt. Ce n'était pas Charlie... mais Ryan ! Malgré sa tenue de travail et ses bottes pleines de poussière, sa distinction et son autorité étaient indéniables. Ses yeux se posèrent sur Walter puis sur Liza qui devint rouge comme une pivoine. Elle perdait contenance, ne sachant plus où se mettre.

— J'ai vu l'avion atterrir, dit Ryan en souriant, et je suis venu aux nouvelles.

Liza aurait voulu être à dix mille lieues de là. Elle se leva d'un bond.

— Oh ! ce n'était pas la peine de vous déranger ! Justement, mon oncle allait partir... Mais je ne vous ai pas présentés, Ryan Langton... Mon oncle, Walter Hewitt...

Les deux hommes se serrèrent cordialement la main et Ryan posa la question qu'elle redoutait le plus.

— Qu'est-ce qui vous amène ici, monsieur Hewitt ? J'espère que vous ne vous inquiétiez pas pour votre nièce ?

— A vrai dire, si... Elle ne nous a donné aucune nouvelle depuis qu'elle a quitté Perth.

Il regarda sa nièce et elle lut dans ses yeux l'interrogation muette : était-ce celui-ci... ?

— Je suis venu la chercher, reprenait Walter. Mais elle vient de me dire...

— Que tout va bien! l'interrompit précipitamment Liza avec un rire qui sonna affreusement faux. Tu pourras rassurer tante Esmée. Je... je vais te reconduire à l'avion. Je peux emprunter une voiture, Ryan?

— Bien sûr.

Il semblait un peu surpris d'une telle hâte.

— Mais rien ne me presse à ce point, Liza, intervint Walter d'un ton irrité. Pendant que j'y suis, j'aimerais éclaircir un point ou deux. Monsieur Langton, fit-il en lui lançant un regard pénétrant, je ne sais pas si vous en êtes conscient, mais ma femme et moi n'avons pas la moindre idée de ce qui se passe ici... Je sais seulement ce que Liza vient de m'apprendre, à savoir qu'elle est en pleine idylle avec quelqu'un de la maison... Le mariage étant une chose sérieuse, je suis sûr que vous comprendrez mon désir de rencontrer le jeune homme en question. Un membre de votre famille...?

Liza aurait préféré mourir sur le coup plutôt que d'entendre ça. Qu'est-ce que Ryan allait penser d'elle? Ses jambes faiblissaient. Pour rien au monde elle ne l'aurait regardé en face...

— Oui... répondit Ryan, très calme. Comme mes deux frères sont fiancés, je me reconnais dans le rôle de l'heureux élu... Liza et moi ne nous connaissons pas depuis bien longtemps et je crois qu'elle a encore besoin de réfléchir. Voilà pourquoi elle ne vous a pas averti. Je m'excuse pour le souci que cela vous a donné.

Eberluée, Liza ne pouvait en croire ses oreilles! Il ne la trahissait pas... Ryan était venu à son secours! Mais pourquoi...? Levant les yeux vers lui, elle rencontra son regard malicieux, un peu narquois.

— Dans ce cas... fit Walter, manifestement rassuré. Il me semble que tu te plais ici, Liza ?

Incapable d'articuler une seule parole, elle fit oui de la tête.

— Bon. Je n'insiste plus pour te ramener à Perth... Prenez le temps de mieux faire connaissance tous les deux avant de vous décider... Je pense que ta tante n'y verrait pas d'objection. Au fait, Ryan, cette voiture... Il vaudrait mieux que ma nièce ne la ramène pas à Darwin. Vous savez, je n'ai accepté qu'à contrecœur de la laisser partir avec ce Don Harris. Je préfère qu'elle ne le revoie pas.

Liza enrageait intérieurement. N'arrêterait-il jamais de se mêler de ses affaires ?

— Je m'occuperai de la voiture, répondit Ryan. De toute façon, je n'avais pas l'intention de l'envoyer seule à Darwin.

— Vous me tranquillisez... Je vous suis très reconnaissant, Ryan. Je serais très heureux de vous revoir. Vous pourriez descendre à Perth, quand Liza sera disposée à y retourner ? Ma femme serait enchantée de vous rencontrer.

— Merci. Mais tout dépend de Liza, assura Ryan avec un sourire plein de sous-entendus et je ne peux pas prédire la suite des événements...

Walter eut un petit rire confiant.

— J'ai bon espoir ! Eh bien, je vous laisse... L'après-midi s'avance et je ne veux pas voler de nuit.

Ils le raccompagnèrent jusqu'au terrain et tout en l'embrassant, Liza réfléchissait à la manière habile dont Ryan avait présenté les choses. Il lui laissait une porte de sortie : elle pourrait plus tard dire à son oncle que ce mariage ne se faisait pas pour cause d'incompatibilité d'humeur, sans pour autant perdre la face...

L'avion décolla. De nouveau, elle se retrouvait seule avec Ryan. Mais cette fois, il fallait qu'elle explique son mensonge... Muet comme une tombe, Ryan attendait.

— Je suis navrée d'avoir menti, dit-elle enfin, rouge de confusion. Je ne voulais pas retourner à Perth. Alors... j'ai dit n'importe quoi pour qu'oncle Walter me laisse ici... Ma tante et lui n'ont pas eu d'enfant. Ils ont tendance à oublier que je suis une adulte et que je ne veux pas forcément vivre comme eux... Je ne pensais pas que vous auriez à intervenir...

— Les secrets sont difficiles à garder dans l'*outback*! J'aurais sûrement appris votre mensonge un jour ou l'autre, mais il ne me dérange pas. Je n'ai rien à gagner à vous voir repartir à Perth... Maintenant, la balle est dans votre camp. Vous pourrez décider de ce que vous voulez faire, dès que je vous aurai ramenée à Don Harris.

— Mais... vous n'avez pas besoin de... Je peux me débrouiller pour aller à Darwin...

— Je n'en doute pas, mais je vous accompagnerai quand même. D'abord parce que je l'ai plus ou moins promis à votre oncle et ensuite, parce que j'en ai toujours eu l'intention. Vous ne pouvez pas toujours n'en faire qu'à votre tête!

Il la déposa à la maison et repartit aussitôt, lui laissant l'impression désagréable qu'il se lavait les mains de toute cette affaire. Il lui avait rendu service, voilà tout. Maintenant, c'était à elle de jouer... Décidément, on en revenait toujours au même point. Elle avait pourtant cru que son mensonge déchaînerait la colère de Ryan... Pas du tout ! Elle n'était sans doute pas assez importante à ses yeux. Et il ne l'accompagnait à Darwin que parce qu'il y retrouverait Debra...

Chapitre dix

Deux jours plus tard, ils partaient pour Darwin dans la voiture de Don. Liza savait que là-bas, Ryan la laisserait se débrouiller toute seule, pour aller rejoindre Debra... L'incroyable mensonge dont elle avait osé se servir avait dessillé les yeux de Ryan et il retournait vers celle que tous considéraient comme sa fiancée.

La nuit tombait quand ils atteignirent la résidence des Carson, une belle maison sur pilotis, enfouie sous les palmiers. Le voyage s'était déroulé sans encombre et au contraire de Don, Ryan n'avait vu aucune objection à lui laisser le volant pour se reposer un peu.

Il arrêta la voiture devant la porte d'entrée. Les Carson avaient été prévenus de leur arrivée... Pourquoi ne venait-on pas les accueillir ? Ils descendirent et Ryan sortit du coffre les bagages de Liza.

— Je vais monter votre valise, fit-il en lui prenant les mains. Mais il vaut mieux nous dire au revoir maintenant...

Elle s'agrippa à lui. Tout allait si vite ! Déjà, il la quittait, il allait disparaître pour toujours de sa vie... Elle ouvrit la bouche, elle voulait lui dire... Ryan l'attira contre lui et l'embrassa. Doucement.

138

Et passionnément. Comme elle l'aimait ! Comment accepter qu'il ne partage pas un tel amour... ?

— Je vous passerai un coup de fil dans un jour ou deux, pour savoir comment ça se passe...

Liza fit oui de la tête, trop bouleversée pour parler. Luttant contre les sanglots, elle se tourna vers la porte et sonna. Soutenir plus longtemps le regard de ses yeux si bleus était au-dessus de ses forces. Pourtant, c'était maintenant qu'il fallait lui avouer ce qu'elle ressentait. Non, elle n'osait pas et puis, que lui dirait-il ? Qu'il allait épouser Debra, voilà tout. Ce qu'elle devait lui dire, c'était plutôt de ne pas lui téléphoner, ni demain ni jamais. Cela ne servirait qu'à prolonger sa souffrance...

Une femme d'un certain âge répondit au coup de sonnette.

— Bonjour ! Je suis Joan Hudson, la mère de Caryl. Vous êtes certainement l'amie de Don ? Il va être surpris... Nous ne vous attendions pas si tôt ! Venez, il est au salon.

Son regard amical se posa sur Ryan. Liza le présenta.

— Ryan Langton... Comme il devait venir à Darwin, nous avons fait le chemin ensemble...

Ryan serra la main que lui tendait Joan Hudson, tout en déclinant son invitation à entrer.

— Merci, mais je dois partir. Au revoir, Liza. Et n'oubliez pas, je vous appellerai...

Elle n'eut pas le courage de l'en dissuader. Et d'une voix qui tremblait un peu, elle répondit :

— Au revoir, Ryan. Merci de m'avoir accompagnée... et supportée si longtemps à Crystal Downs.

— Ce fut une joie, Liza.

Il serra très vite ses mains entre les siennes, la

fixa un instant dans les yeux et se détourna brusquement.

C'était fini. Il était parti.

— Sympathique... murmura Joan Hudson. Vous avez eu de la chance d'être secourue par un homme comme lui.

De la chance ? Liza n'en était pas certaine... Elle savait seulement que cette rencontre avait irrémédiablement bouleversé sa vie, qu'il lui faudrait longtemps pour s'en remettre... Qu'elle n'aimerait jamais que lui — désespérément. Refoulant ses larmes, elle suivit son hôtesse à l'intérieur. Don apparut. Sa jambe blessée était dans le plâtre et avec ses béquilles, il se déplaçait maladroitement, sautillant comme un vieil oiseau.

C'était étrange de le revoir, maintenant qu'elle le regardait sans passion. Elle ne ressentait plus rien pour lui — de l'indifférence — et cette constatation la choqua un peu.

— Bonsoir, Don ! fit-elle avec un enjouement forcé. Ta voiture est là et en bon état ! Ryan a voyagé avec moi, il m'a surveillée !

— C'était la moindre des choses, grommela-t-il. Pour les réparations, il ne s'est pas pressé...

— Tu n'as pas compris ce qui s'est passé ? demanda-t-elle, irritée. Le mécanicien a été obligé de partir d'urgence pour Kununurra. Son père était mourant.

— Oui, mais avant cette histoire, il aurait pu accélérer les choses, non ? Si je n'avais pas été coincé à l'hôpital, j'aurais réglé l'affaire en un clin d'œil !

— Je n'en doute pas, déclara-t-elle sèchement. Mais tu n'étais pas là et les Langton avaient autre

140

chose à faire qu'à réparer ta voiture. De toute façon, je suis responsable de tout ce qui est arrivé...

Il haussa les épaules et changea de tactique.

— Enfin, tu es là ! C'est l'essentiel. Je vais te montrer ta chambre... Il va falloir que tu portes ta valise toute seule. Avec ces béquilles, je ne peux pas...

Liza lui emboîta le pas. Comment avait-elle pu être attirée par cet homme ? Peut-être à cause de la vie qu'il menait, si différente de celle que lui préparaient sa tante et son oncle ? Mais tout cela appartenait au passé. Elle savait maintenant qu'elle ne supporterait pas la vie avec lui, ni même le travail à ses côtés.

— Belle maison, hein ? s'écria-t-il en ouvrant devant elle la porte d'une chambre. Heureusement que Joan a pu venir, sinon je me serais retrouvé dans un drôle de pétrin avec ma jambe folle. Caryl et Len viennent de partir pour un safari...

— Oh... Et comment va Caryl ? demanda Liza, un peu gênée.

— Comme ça... Elle va être contente de te voir ! Elle finissait par ne plus y croire...

Dans la chambre, un ventilateur de plafond brassait doucement l'air. Un des murs était entièrement composé de jalousies, pour mieux laisser entrer la fraîcheur du soir. Liza contempla un instant le lit avec envie... Elle aurait bien préféré s'y allonger plutôt que d'annoncer à Don qu'elle ne serait jamais sa femme. Un mariage qu'il tenait pour acquis, même s'il ne l'avait jamais demandée en mariage. La croyait-il trop sotte pour avoir l'idée d'aller chercher ailleurs ? Oui, certainement.

— Tu dois être fatiguée, s'inquiéta-t-il, tardivement prévenant. Je te laisse prendre un bain.

Rejoins-nous à la salle à manger quand tu seras prête...

Le dîner fut moins pénible qu'elle ne l'avait craint. Joan Hudson lui posa mille questions sur Crystal Downs et Liza parvint à en parler de façon impersonnelle. Les deux femmes firent la vaisselle ensemble, puis Joan sortit, invitée chez des amis, et Liza retrouva Don au salon.

— Vous en avez fini à la cuisine, toutes les deux ? Viens t'asseoir là, Liza. Il faut que nous parlions. Je ne suis pas un compagnon très distrayant en ce moment... Ce plâtre me fait un mal de chien, tu sais. Il doit appuyer sur un nerf. Si tu pouvais me conduire à l'hôpital demain, je leur demanderais de m'arranger ça.

— Bien sûr !

Elle s'installa dans un fauteuil avec un soupir de résignation. Impossible de reculer, maintenant...

— Moi aussi, j'ai certaines choses à te dire, Don. J'ai réfléchi... et je suis vraiment désolée, mais pour le travail que tu me proposais, c'est non.

— Qu'est-ce que tu racontes ? Mais tu as accepté il y a longtemps ! Tu as remué ciel et terre pour pouvoir partir avec moi ! Qu'est-ce qui te prend ?

— J'ai changé d'idée. C'est tout.

— C'est tout ? Et à la dernière minute ! Tu envoies ma voiture dans le fossé, tu m'expédies à l'hôpital et pour finir, tu m'annonces que tu me laisses tomber ! Et Caryl ? Tu as pensé à Caryl ? Elle est enceinte, au cas où ce détail te serait sorti de l'esprit ! Len était d'accord pour qu'elle continue jusqu'à ton arrivée, mais elle ne peut pas tenir davantage !

Liza était résolue à ne pas céder. Il ne l'aurait pas à l'intimidation.

— Je sais bien, Don. Seulement, je ne suis pas responsable des problèmes de Caryl. D'ailleurs, tu n'auras aucun mal à lui trouver une autre remplaçante. Il doit y avoir pas mal de filles à Darwin qui cherchent du travail...

— Mais enfin, Liz, je ne comprends pas. Tu étais emballée par ce boulot avant que je te laisse à Crystal Downs... Qui t'a influencée ?

— Personne. Je t'assure que j'ai simplement changé d'avis. Ça ne m'intéresse plus.

— Et que vas-tu faire ? Retourner à Perth ? Toi qui voulais tellement ton indépendance... Tu n'as tout de même pas oublié notre projet de mariage ?

Elle se mordit les lèvres, ne pouvant s'empêcher de penser à cette histoire de dot.

— Ça ne marcherait pas, Don...

— Pourquoi ?

Il plongea son regard dans le sien. Aussitôt, elle baissa les yeux.

— Eh bien ? insista-t-il.

— Le... le fluide ne passe pas entre nous, répliqua-t-elle, prête à tout pour ne pas céder.

— Le fluide ? Qu'est-ce que c'est... le fluide ? Un mariage se construit petit à petit, Liza. Pas sur un coup de foudre ! J'espère que tu ne t'es pas entichée de ce Langton... J'ai eu l'impression qu'il te faisait de l'effet à Broome, dit-il en caressant pensivement sa barbe rousse.

Liza devint écarlate et bien sûr, il le remarqua. Elle aurait voulu protester mais curieusement, elle ne trouvait pas ses mots.

— De toute façon, il va épouser Debra Davis, reprit Don. Justement, elle m'a téléphoné hier pour m'en parler... La nuit porte conseil, Liza. Je te suggère donc d'aller dormir. Nous reparlerons de tout ça demain. Je ne te demande pas de m'épouser tout de suite. Rien ne presse. Prends le temps de réfléchir.

— C'est tout réfléchi, Don. C'est ainsi. Il n'y a rien à ajouter.

Il la fixait tranquillement de ses yeux noisette. Il n'avait apparemment aucun chagrin... Quand il reprit la parole, il dit simplement :

— Tu aurais pu au moins goûter à la vie d'ici. Rien à voir avec les ranches... Enfin, si tu as décidé de retourner à Perth, ça te regarde. Mais tu me déçois, Liz. Je croyais que tu avais plus de caractère que ça...

Après tout, s'il pensait qu'elle refusait uniquement parce qu'elle ne supportait pas le Nord, pourquoi lui enlever ses illusions ?

— Je vais me coucher, Don. Je peux faire quelque chose pour toi avant de monter ?

— Rien du tout, assura-t-il d'un ton indifférent. Bonne nuit, Liz. Merci d'avoir ramené la voiture...

— C'était la moindre des choses. Bonsoir.

Malgré la fatigue du voyage, elle ne s'endormit pas tout de suite. Ses pensées revenaient sans cesse à Ryan. Dans la même situation que Don, il aurait réagi bien différemment... Mais quelle importance ? En ce moment, il était chez Debra, en train d'organiser leurs fiançailles... Elle devait accepter l'inévitable. Mais pour elle, c'était infiniment plus difficile que pour Don...

Le lendemain, elle refit une fois de plus sa valise... Elle ne pouvait évidemment plus rester chez les Carson. Elle se sentait tout de même un peu coupable envers Caryl, mais Joan la rassura en lui apprenant que Len avait emmené en safari une jeune fille qui brûlait d'envie d'exercer ce métier. Un détail que Don s'était bien gardé de mentionner...

Elle l'emmena à l'hôpital avant de partir et le ramena lorsque le plâtre fut changé. Ryan n'avait pas téléphoné et c'était mieux ainsi. De quoi lui aurait-il parlé, sinon de ses projets avec Debra ?

Elle avait décidé de s'installer dans un hôtel de Darwin, situé face à la mer, que lui avait recommandé Joan. Cette dernière s'était montrée d'une discrétion exemplaire, ne lui posant aucune question sur son départ subit. Et Dieu merci, Don n'avait pas essayé de la faire revenir sur sa décision. Il avait joué... et perdu. Il n'en était ni vraiment surpris, ni malheureux. On ne décroche pas le gros lot à tous les coups... Pendant qu'elle attendait un taxi, il lui confia simplement qu'il cherchait un associé.

— Quelqu'un qui puisse faire marcher l'affaire pendant que je suis immobilisé et qui puisse apporter un peu d'argent frais... Ce ne serait pas du luxe pour nous renflouer.

Cela voulait-il dire que jusque-là il avait compté sur sa dot ?

— Et maintenant, Liz, quels sont tes projets ?

— Je vais rester à Darwin un jour ou deux. Peut-être qu'ensuite, je rentrerai à Perth.

Le taxi arrivait.

— Je vois... Dommage que tu te sois laissé décourager si facilement par les tropiques...

Il eut un sourire assez déplaisant et ne se pencha pas pour l'embrasser.

— Enfin, ta famille sera contente... Quand tu verras Laura, mets-la au courant, veux-tu ? Elle pensait vraiment que toi et moi, c'était une affaire conclue...

En se glissant sur la banquette arrière du taxi, Liza poussa un soupir de soulagement.

C'était un hôtel agréable, où l'on trouvait les agréments du confort moderne et le charme des constructions traditionnelles. Le salon, vert et ivoire, donnait sur le jardin tropical et sur l'inévitable piscine, indispensable avec cette chaleur.

Liza s'installa dans sa chambre, prit un déjeuner léger au bord de l'eau et décida d'aller faire un tour en ville. Darwin était un vrai jardin. De vieux banians et des acajous millénaires y voisinaient avec de jeunes arbres récemment plantés qui rappelaient les ravages du cyclone Tracy... La foule qui déambulait paisiblement dans Smith Street Mall offrait un fascinant mélange de races noire, blanche et asiatique. Un parfum de vacances flottait dans l'air.

Liza se serait volontiers installée à Darwin si elle y avait eu du travail. Elle avait essayé de trouver un emploi mais sans succès. Au fond, elle savait qu'elle retournerait à Perth... Mais plus pour y jouer à la secrétaire ! Si les mines devaient l'employer, ce serait pour un travail sérieux. Oncle Walter lui avait parlé d'acquérir de l'expérience ? Elle saurait le lui rappeler ! Elle pourrait prendre des cours de comptabilité à mi-temps. Tout en échafaudant des plans, elle ne pouvait se défendre d'une curieuse impression : rien de tout cela ne lui paraissait bien réaliste. Il lui semblait qu'elle était prisonnière d'une énorme bulle de verre, attendant désespérément qu'elle éclate pour qu'enfin le monde vienne à elle... ou qu'elle s'avance vers lui. Elle ne savait pas trop.

Dans la soirée, elle rentra à l'hôtel, découragée, craignant la solitude et le flot des souvenirs. Elle venait de se déshabiller et allait prendre sa douche quand la sonnerie aigrelette du téléphone la fit sursauter... Décidément, ses nerfs étaient dans un état affreux.

Avant même de décrocher, elle savait que c'était Ryan. Il avait dit qu'il l'appellerait, il tenait sa promesse. Joan Hudson avait dû lui donner les coordonnées de l'hôtel... En entendant sa belle voix grave aux inflexions un peu traînantes, les forces lui manquèrent et elle s'effondra sur le lit...

— Liza ?

— Oui... Qui est-ce ?

Comme si elle ne le savait pas !

— Devinez, si vous avez du temps à perdre...

— Que voulez-vous dire ?

— Dans combien de temps pouvez-vous être prête ?

— Prête ? Mais pourquoi ?

Elle se mordit les lèvres, le cœur battant follement.

— Je veux vous voir. J'ai à vous parler.

— C'est que... j'allais prendre une douche... Qu'avez-vous à me dire ?

Il éclata de rire.

— Vous ne croyez pas que je vais révéler mes secrets au téléphone ? Prenez vite cette douche, sinon je viens enfoncer la porte !

— Mais où êtes-vous ? Chez Debra ?

Il ne fallait pas espérer, se sentir excitée... C'était de la folie !

— Mais non, voyons. Je suis en bas, dans le salon

147

de votre hôtel. Dites, allez-vous vous dépêcher ou faut-il que je vienne vous chercher manu militari ?

Il en était bien capable !

— J'arrive ! cria-t-elle avant de raccrocher.

Elle se précipita à la salle de bains, n'osant penser à rien, prit sa douche en un temps record, enfila fébrilement une de ses charmantes robes en coton léger, la bleue et mauve, celle qui flottait autour d'elle comme un voile... Elle mit des sandales de même couleur, donna un rapide coup de brosse à ses cheveux, un rien de rouge à ses lèvres... elle était prête ! Un dernier regard au miroir — son visage était rose d'excitation, sa bouche un peu tremblante, et ses grands yeux brillants. Mais pourquoi tant d'affolement, alors que Ryan ne venait que par politesse ? Car il devait se sentir un peu responsable d'elle depuis qu'il avait rencontré son oncle. Pourtant, il y avait eu cette tendresse dans sa voix, au bout du fil...

Le salon était très animé à cette heure. Les gens discutaient, attablés devant des apéritifs. Mais Liza ne vit que Ryan, debout près de la grande baie vitrée. Ses yeux bleus vinrent à la rencontre des siens et lorsqu'il traversa la pièce, elle sentit que son cœur bondissait de joie dans sa poitrine.

Il s'arrêta tout près d'elle, la fixant de son regard brûlant. En proie à une émotion intense, elle détailla la silhouette mince et musclée, si séduisante dans la tenue de ville — pantalon sable et chemise blanche à col ouvert — qu'il portait à Darwin. Un chaud sourire éclairait son visage, ses cheveux sombres étaient légèrement ébouriffés...

148

juste assez pour que Liza ait envie d'y plonger la main !

— Allons dans le jardin, murmura-t-il en la prenant par la taille.

Ils se dirigèrent vers un coin tranquille, abrité des regards par un écran de frangipaniers. Les fleurs embaumaient, pourpres dans la lumière du soir.

Il la contempla longtemps, immobile, puis, l'attirant contre lui, il l'embrassa passionnément. Liza lui rendit ardemment son baiser, bouleversée d'être à nouveau dans ses bras. Il n'épouserait pas Debra, c'était impossible, puisqu'il l'étreignait avec le même feu que celui qui l'embrasait elle-même. Elle était affamée de ses baisers, de son amour... Et il semblait avoir enfin découvert qu'ils étaient faits l'un pour l'autre. C'était la seule, l'unique solution. Après une longue traversée, Liza touchait au port.

Il laissa ses lèvres pour plonger son regard dans le sien, un regard pénétrant, inquisiteur et qui révélait ses sentiments bien mieux que des mots. Alors deux larmes roulèrent sur les joues de Liza. Il les essuya doucement du bout du doigt, et sourit :

— Je vous ai appelée chez les Carson... Joan m'a donné votre adresse mais elle n'en savait pas plus. Quant à Don, il ne semblait pas pressé de se déplacer pour venir me parler ! J'en ai conclu que lui et vous, c'était terminé... Que comptiez-vous faire, Liza ? Disparaître ? Oublier tout ce qui s'est passé entre nous ?

— Je ne voulais même pas vous revoir, avoua-t-elle. Vous alliez épouser Debra. Tout le monde le disait...

— J'en ai eu l'intention, c'est vrai. Nous nous connaissons depuis longtemps et alors que je la croyais uniquement intéressée par sa carrière, il me semblait, ces derniers temps, qu'elle cherchait à se ranger. Comme il était temps pour moi de fonder un foyer, j'ai pensé qu'ensemble, nous pourrions avoir une vie... disons, agréable. Et puis, je vous ai vue à Broome... et tous mes projets se sont effondrés.

— Mais... comment....

— Simplement en me regardant avec vos grands yeux. Je suis tombé désespérément amoureux de vous. Comme un collégien ! Je savais que c'était de la folie. Vous, si jeune... Et Don Harris qui clamait partout que vous alliez l'épouser !

— Ce n'était pas vrai. Il ne m'a jamais demandée en mariage. Bien sûr, j'y pensais quand nous avons quitté Perth, ajouta honnêtement Liza. Mais j'ai compris très vite que Don n'était pas celui que je croyais.

— Et moi qui ai d'abord pensé que vous étiez sérieusement engagés ! Comme je ne suis pas totalement dénué de sens moral, je ne pouvais me résoudre à voler la fiancée d'un autre... Mais je reculais le moment de demander Debra en mariage... J'avais une conduite incohérente et ça m'exaspérait ! Et puis, je n'aime pas dévier de la route que je me suis tracée... De retour à Crystal Downs, il m'a fallu un bon moment pour reprendre mes esprits et à peine me croyais-je guéri que vous avez débarqué ! C'était la goutte d'eau qui faisait déborder le vase... C'est vrai, je n'étais pas ravi de vous voir !

— Je m'en suis aperçue à votre accueil ! fit Liza en riant. Je ne savais plus où me mettre !

— Et les ennuis ne faisaient que commencer, n'est-ce pas? Je me suis souvent montré odieux...

Il la serra contre lui.

— Nous nous attirions comme deux aimants... J'ai très vite compris que ce que j'éprouvais pour vous n'était pas une simple passade et n'avait rien à voir non plus avec la nostalgie du passé. Ce sentiment m'apparaissait très différent de ce que j'ai ressenti pour Christine. Vous ne me la rappeliez en rien... J'ai tenté de rester à l'écart, je faisais tout pour vous envoyer à Darwin le plus vite possible mais les événements se liguaient contre moi!

— Et si Charlie avait réparé plus rapidement la voiture de Don, vous m'auriez laissée partir, vous m'auriez oubliée...

Cette pensée était insupportable à Liza.

— De toute façon, j'avais l'intention de vous accompagner à Darwin et là, de tenter d'y voir clair. Et vous savez... si vous n'étiez pas tombée en panne sur mes terres, je crois bien que je serais allé à Darwin... juste pour savoir ce que vous deveniez... Eh oui! Quand vous m'avez forcé, devant votre oncle, à dire que j'allais vous épouser, j'ai bien failli vous prendre au mot. Et j'ai compris que votre attirance pour Don représentait surtout pour vous l'attrait du fruit défendu par votre famille... Moi qui pensais devoir me battre pour vous conquérir! La victoire m'est acquise, n'est-ce pas, chérie? Vous voulez bien m'épouser?

— Oh! oui... murmura-t-elle d'une voix voilée par l'émotion.

Et elle lui offrit tendrement ses lèvres.

L'après-midi tirait à sa fin. Le soleil n'était plus qu'une grosse boule rouge prête à plonger dans la mer. Il suspendit sa course une seconde et disparut tout d'un coup, avalé par les flots, laissant une traînée enflammée dans le ciel encore clair. Serrés l'un contre l'autre, ils se promenèrent parmi les frangipaniers et s'embrassèrent dans ce jardin dont les parfums étaient avivés par la nuit tombante.

Bientôt, les premières étoiles apparurent. Dans un ou deux jours, songea Liza, nous prendrons l'avion pour Perth et nous annoncerons à Esmée et Walter notre prochain mariage... Elle eut un petit remords en pensant à Debra. Mais après tout, celle-ci avait sa carrière et la perspective de passionnants voyages, à commencer par Bali... Liza, elle, voulait être l'épouse de celui qui, à cet instant, la serrait dans ses bras. Et devenir une vraie fille de l'*outback* !

En retournant à l'hôtel pour fêter leurs fiançailles, elle soupira :

— Je suis ennuyée pour Debra...

— Ne vous faites pas de souci pour elle, répondit Ryan. Elle avait parfaitement compris ce qui se passait depuis Broome et elle a continué à espérer... Mais elle poursuivra sa carrière et réussira... La vie continue, quoi qu'il arrive. Je l'ai blessée, comme vous avez sans doute blessé Don. C'est ça, l'amour. On souffre, on surmonte sa douleur et... on oublie. C'est ce qui nous serait arrivé si vous aviez épousé Don et moi Debra...

Jamais ! Jamais, je ne l'aurais oublié, se dit Liza. Même après mille ans ! Comme elle se blottissait contre son épaule, elle sentit le bras de Ryan la serrer plus fort.

— Oui, j'aurais surmonté l'épreuve, fit-il doucement. Mais je n'aurais pas eu trop de toute une vie
pour ça...

Liza essuya deux petites larmes qui roulaient sur
ses joues. Les larmes du bonheur...

Ce livre de la *Série Romance* vous a plu. Découvrez les autres séries Duo qui vous enchanteront.

Désir, la série haute passion, vous propose l'histoire d'une rencontre extraordinaire entre deux êtres brûlants d'amour et de sensualité.
Désir vous fait vivre l'inoubliable.

Série Désir : 6 nouveaux titres par mois.

Harmonie vous entraîne dans les tourbillons d'une aventure pleine de péripéties.
Harmonie, ce sont 224 pages de surprises et d'amour, pour faire durer votre plaisir.

Série Harmonie : 4 nouveaux titres par mois.

Amour vous raconte le destin de couples exceptionnels, unis par un amour profond et déchirés par de soudaines tempêtes.
Amour vous passionnera, *Amour* vous étonnera.

Série Amour : 4 nouveaux titres par mois.

Série Romance : 6 nouveaux titres par mois.

Série Romance

Ce mois-ci

Duo Série Harmonie

Duo Série Désir

Duo Série Amour

Achevé d'imprimer sur les presses de l'Imprimerie Bussière
à Saint-Amand-Montrond (Cher)
le 25 janvier 1985. ISBN : 2-277-80238-7. ISSN : 0290-5272
N° 2692. Dépôt légal : janvier 1985. Imprimé en France

Collections Duo
27, rue Cassette   75006 Paris
diffusion France et étranger : Flammarion